CW00765837

PRYFED
UNDYDD

I bryfetach annwyl fy aelwyd

PRYFED
UNDYDD

Andrew Teilo

Argraffiad cyntaf: 2023
© Hawlfraint Andrew Teilo a'r Lolfa Cyf., 2023

Cynllun y clawr: Sion Ilar

Rhif Llyfr Rhyngwladol: 978 1 80099 447 8

Dymuna'r cyhoeddwyr gydnabod cymorth ariannol
Cyngor Llyfrau Cymru

Cyhoeddwyd ac argraffwyd yng Nghymru
ar bapur o goedwigoedd cynaliadwy gan
Y Lolfa Cyf., Talybont, Ceredigion SY24 5HE
e-bost ylolfa@ylolfa.com
gwefan www.ylolfa.com
ffôn 01970 832 304

DIOLCHIADAU

Hoffwn ddiolch yn ddiffuant i'r canlynol:

Fy nheulu, am eu hamynedd gyda mi pan oedd fy meddwl a'm sylw ymhell, ac i'r rhai ohonynt y gorfu iddynt ddarllen y drafftiau di-ben-draw yn ogystal!

Adran y Gymraeg, Prifysgol Abertawe, yn arbennig fy nghyfarwyddwyr cwrs, yr Athro Tudur Hallam a Dr Hannah Sams, am eu hanogaeth, eu harbenigedd a'u hysio cyson!

Eurig Salisbury a Dafydd Llewelyn am fod mor barod i gyfrannu eu sylwadau caredig ar gyfer y clawr.

Lefi a phawb yng ngwasg Y Lolfa, yn enwedig Meleri Wyn James am ei sylwadau positif, ei hawgrymiadau adeiladol a'i gwaith golygu sensitif.

Y Cyngor Llyfrau Cymraeg am wneud cyhoeddi'r gyfrol hon yn bosibl, ac i Sion Ilar am ei waith cain, hynod greadigol arferol wrth fireinio a datblygu fy syniad gwreiddiol ar gyfer y clawr.

Ac yn olaf, diolch i Sion Corn am fy anrhegu â'r teipiadur Silver Reed bach glas hwnnw, Nadolig 1975.

CYNNWYS

HOFRAN

IFYNY YMA, o'm gwylfa ryfedd, gallaf weld fy nhad-cu. Ac o'i weld, teimlaf y bydd yr helbul yn darfod. Mae pob dim yn iawn; mae Da'cu yma. Gwneith Da'cu bopeth yn iawn. Gwneith Da'cu i'r chwyrligwgan stopio, ac i'r corddi cyson sydd yn llenwi'r lle dewi hefyd.

Sŵn troi a throi, fel tarfe mewn padell.

Yn erbyn y mwrllwch sydd yn bygwth ar y gorwel, mae 'Nhad-cu'n edrych fel un o'r delweddau hynny yn y llyfrau hanes, y dynionach sepia, gwargrwm. Y rhai a gyrchasai gestyll gyda phicweirch yn eu dwylo, a ffaglau ynghyn. Mae gan fy nhad-cu yntau bicwarch, ond nid yw e'n rhoi muriau unrhyw gastell dan warchae. Mae wrthi'n araf yn troi'r borfa ar y cladd. Yn troi a gwastodi, troi a gwastodi, troi a gwastodi; ni ddaw'r gwaith i ben iddo, fel Sisyffos. Erbyn meddwl, rhyw ffigwr chwedlonol yw 'Nhad-cu hefyd. Fe'i gwelaf wrth ei orchwyl, gyda'i glustiau mawrion a'i ddwylo mwy, yn codi ac yna'n ysgwyd pob fforchaid yn hafal o'i gwmpas, yn cadw rhythm pendiliog. Fel cloc. Cloc Tad-cu.

Defod yw hon iddo. Mae Da'cu'n hen, ac nid oes fawr ddim ar ôl heblaw am ei ddefodau. Codi. Ymolchi. Eillio. Brecwast. Cinio. Capel. Gwrando ar y newyddion ar y weierles. Gwrando ar y fforcast hefyd, er nad oes diben i hynny bellach. Mae gan Da'cu ei ardd, ac mae ganddo'i bapur newydd bob dydd. Bywyd distyll sydd ganddo, pob dim arall a â'i amser pan oedd yn ddyn iau wedi hen anweddu, gan adael uwd dwys a di-newid yng ngwaelod bowlen ei fodolaeth.

Un o ddefodau Da'cu yw chwalu twmpathau silwair ddwywaith y flwyddyn yn y cladd ar fferm ei fab.

Rwy'n gweiddi arno:

'Da'cu!… Da'cu!'

Ond nid yw yn fy nghlywed. Mae fy llais yn mynd ar goll ar y gwynt, er nad oes yna wynt heddiw. Ac erbyn meddwl, nid wyf yn sicr ai fy llais innau neu lais rhywun arall sy'n bloeddio.

'Daaaa-cuuuu!'

Mae'n parhau â'i orchwyl yn ddi-hid, ei glustiau mawrion o dan ei het ffedora'n dda i ddim.

Ac eto, teimlaf *ryw* wynt i fyny yma wedi'r cyfan. Rhyw awel gysurus sy'n chwarae gyda'm gwallt fel bysedd meinion mam anweledig. Mae'r awel braf yn fy nghofleidio, ac yn fy nghynnal fry yn fy ngwylfa. Mae'n suo ar draws fy mochau fel anadl liniarus.

Wel. Mae hyn yn rhyfedd. Yn rhyfedd iawn. Nid wyf erioed wedi gweld clos ein fferm o'r fan hon o'r blaen, ac er imi ddringo i ben ambell do, ac i loriau uchaf simsan y siediau, yn groes i'r rhybuddion, mae hon yn ongl newydd i mi, fel pe bawn ym mwced un o'r craeniau anferthol hynny sydd i'w cael ar safleoedd adeiladu yn Llundain ac Efrog Newydd. Mae'n rhaid fy mod i ar ben craen, neu mewn basged balŵn efallai, oherwydd ni allwn fod mor uchel fy safbwynt fel arall. Edrychaf o'm cwmpas, ond nid oes gennyf gwmni i fyny yma, ac er na welaf unrhyw ganllaw neu gât i'm cadw rhag syrthio dros ochr y fasged i'r concrid islaw, *ymhell* islaw, teimlaf yn berffaith ddiogel.

'Da'cu! Dewch lan fan hyn!' bloeddiaf arno.

Parhau i droi a gwastodi, troi a gwastodi mae Da'cu. Sisyffos, yn ei het ffedora, yn canolbwyntio'n llwyr ar ei dasg. A pharhau'n aflafar y mae sŵn rhyfedd y troi a'r corddi, ac mae'n mynd yn uwch, fel sain byddin yn martsio'n nes at y gorwel.

Teimlaf fod rhywbeth o'i le. Ai'r awel fain sy'n cythruddo fy llygaid, neu'r niwlen sydd wedi dod yn sydyn o rywle sy'n culhau ystod fy ngolwg? Rwy'n teimlo fy mod yn edrych ar y byd trwy un o'r rholion cardfwrdd sydd i'w canfod yng nghanol ffoil cegin. Roedd gen i galeidosgop unwaith. Treuliais oriau'n edrych i mewn iddo, a chael fy hudo gan y lliwiau'n newid ac esblygu bob tro y byddwn yn ei droi. Y cawodydd o ffeilins a mân ddarnau amryliw'n cwympo din-dros-ben ac yn pefrio yn nrychau'r tegan. Rhywbeth tebyg i hynny rwy'n ei brofi yn awr, ond bod y llacharedd a welaf yn wyn ac yn arian. Ac yno, yng nghanol y disgleirder hwnnw, y mae Da'cu.

Gwelaf lawer o'm safle bendigedig. Rwyf yn uwch na thoeau adeiladau'r buarth, oll wedi'u britho â chlustogau o fwsogl melyn, fel draenogod y môr ar draeth eang, a'r llanw ar gyrraedd. Gwelaf y ffermydd cyfagos yn swatio yng nglesni'r tirlun; fe'u dychmygaf yn cau eu llygaid yn barod at y glaw mân ganol haf sydd yn bygwth eu paentio gyda'i ddyfrlliw llwyd. Mae'r defaid ar hyd y bryniau fel gronynnau reis. Oddi tanaf, gwelaf dop y wal o flociau geirwon sy'n cwmpasu tomen dywod y fferm, a gwn fy mod, yn un o'r ceudyllau diwaelod a ffurfir gan y blociau cau hynny, wedi colli un o'm hoff deganau. Mae wedi ei gladdu erbyn hyn gan haenen drwchus o dywod, y car bach coch Dinky Toys. Syrthiodd y car o'm gafael flwyddyn yn ôl pan roddais dop y wal yn gymal ralïo byrfyfyr iddo; rwy'n cofio'r arswyd a deimlais o'i wylio'n llithro o'm llaw a thrybowndio oddi ar ochrau cras y ceudod. Ceisiais ei gipio cyn iddo ddiflannu i ddifancoll, ond yn ofer. Heb oedi, torchais fy llewys mor uchel ag y medrwn, a phlymio fy llaw chwith – gan mai honno sydd deneuaf – mor bell ag yr oedd modd iddi fynd i mewn i'r affwys yn y wal. Ymbalfalais am yn agos i awr yn pysgota am y tegan, ond roedd yn rhy bell o'm gafael. Medrwn deimlo ei slicrwydd metalig o dan fy mys canol petawn i'n straenio ymestyn, ond ni allwn afael ynddo, ac anobeithiol fu fy ymdrechion i'w lusgo yn ôl i fyny gan ddefnyddio ffon, neu fachyn amrwd weiar ar gortyn. Dychwelais yn ddigalon i'r tŷ y noson honno gyda'm cesail a'm braich wedi'u crafu'n goch, fel bacwn amrwd, diolch i erwinder y wal. Roedd gen i ormod o gywilydd cyfaddef i'r hyn a ddigwyddodd wrth fy mam a 'Nhad. Ceisiwn eto, lawer tro, i achub y car bach coch, ond mae wedi mynd i'w fedd yn awr, o dan drwch a ollyngwyd yn ddamweiniol wrth i 'Nhad gyrchu tywod gyda'r tractor a'r llwythwr at waith adeiladu.

'Da'cu!' gwaeddaf eto.

Arhoswch funud. Yn brydlon, mae Da'cu'n stopio. Ond na, mae'n codi ei het i grafu ei ben moel, cyn bwrw iddi unwaith yn rhagor â'i waith gwastodi. Trwy'r caleidosgop rhyfedd hwn chwiliaf am bethau eraill, pethau y byddwn yn eu hanwybyddu ond sydd yn awr wedi mabwysiadu rhyw gyfaredd imi, diolch i'm gogwydd newydd. Codaf fy nwylo'n ddau gylch o flaen fy llygad dde, a'u troi; yr wyf yn rheoli'r caleidosgop yn awr. Trwy'r bibell hud, gwelaf Rover, yr hen gi defaid, yn torheulo yn yr ychydig o heulwen sydd yn weddill cyn i'r glaw gyrraedd. Gorwedda, gyda'i ben yn gorffwys yn ei dun bwydo – llestr rhostio cig na allai fy mam ei sgrwbio'n lân – ger y gastanwydden ar y clos.

Trof fy llaw dde i gyfeiriad gwrthglocwedd, a chlocwedd fy llaw chwith, a gwelaf yn awr ar ongl isometrig, trwy farel fy nghaleidosgop, fy nhad yng nghegin y tŷ, y tu draw i adeiladau'r iard. Mae newydd osod amlen frown ar ben y cownter ger y ffenest; fe'i hagorodd bore 'ma, yn tuchan yn dawel iddo'i hun. Mae'n codi'r tegell oddi ar glawr crwn un o blatiau poeth y stôf lo, ac yna'n ei lenwi â dŵr o'r tap. Wedyn, mae'n codi un o'r cloriau lliw hufen hynny, ac yn gosod y tegell ar y platyn; mae diferion oer yn hisian ac yn sgrialu ar hyd wyneb y metel. Estynna 'Nhad ei law yn awr i'r bin bara, gan dynnu oddi yno dorth wen, dridiau oed; mae hon wedi para'n dda inni, a thraean ohoni ar ôl o hyd. Torra gyfres o dociau bara gyda'r dorth wedi'i sodro'n dynn yn y pant rhwng ei benelin a'i frest, a'r tociau hynny mor denau nes y gellid darllen y papur newydd drwyddynt. Wedi iddo eu menynnu, mae'n eistedd ger fwrdd y gegin, ac mae'n dechrau pendwmpian. Eistedda fy mrawd bach yn ei ymyl, yn eiddgar ddisgwyl ei de. Wrth i 'Nhad syrthio i ysgafngwsg, cadwa fy mrawd un llygad ar ddrws y gegin.

Mae'n oeri. Mae'r cymylau a edrychai unwaith yn rhai digon di-rym ar y gorwel wedi coleddu golwg biwis. Mae'r gwyll yn heintio'r caleidosgop, ac mae Rover wedi deffro o'i gyntun ar ben ei dun bwydo er mwyn ceisio cilfach mewn sied. Ac mae'r corddi caregog, wedi codi'n uwch, ac yn uwch eto. Yn wir, teimlaf fod y clindarddach yn fy nghwmpasu fel petawn i wedi fy nal yng nghanol cwymp o glogfeini. Teimlaf fel codi 'nwylo at fy nghlustiau, ond rwy'n ofni y byddai hynny'n peri imi ollwng y caleidosgop i'r ddaear, sydd i'w gweld ym mhell oddi tanaf yn awr. Ond gwelaf fod Da'cu'n dal wrthi â'i fforch. Yn ddyfal ac yn ddiymdroi. Yn para ymlaen, fel pendil...

A gwelaf rywbeth newydd hefyd, yn awr bod fy ngorwelion wedi eu hehangu wrth imi grwydro ymhellach. Mae yna dractor glas ar y clos, gyda'i injan ynghyn, yn hyrddio pesychiadau o fwg glas i'r awyr trwy'r beipen egsost. Mae to feinyl y caban yn wyrdd dan fwsogl. Y tu ôl iddo, mae cymysgydd sment yn troi yn gerddorol o gyson; mae Da'cu yn dilyn yr un rhythm pendiliog. Y ddau mewn unsain. Dau beiriant. Dau Sisyffos. Yn cysylltu'r tractor â'r cymysgydd sment y mae siafft yrru sydd yn troi ar gyflymdra erchyll, fel ebill. Y paladr hwn, yn ei lawes blastig rybuddiol, sydd yn gyrru cylchdroadau'r cymysgydd.

Uchaf i gyd yr wyf yn cyhwfan uwchlaw'r clos, trymaf i

gyd yw'r clindarddach o'm cwmpas. Ni ddylai fod felly. Mae'r dwndwr yn awr yn annioddefol, yn arteithiol. Mae'r sŵn i'w deimlo'n rym materol, corfforol. Rhythmig. Fe'i teimlaf yn fy mhastynu o gwmpas fy mhen, ac yn sigo a chwalu fy esgyrn. Rwyf yn llygad rhyw dymestl ddidrugaredd, ac rwy'n cael fy narnio. Fy arteithio gan rym na allaf mo'i weld, hyd yn oed.

'Da'cu!... Daaa'cuuuu!...'

Dyna'r unig beth y gallaf feddwl ei weiddi, ond fe wn yn iawn nad oes unrhyw obaith iddo fy nghlywed. Does dim achubiaeth i fod. Ni wn o gwbl os y daw unrhyw sŵn o'm genau ychwaith, ond yn fy mhen rwy'n clywed fy llais yn tonnu, yn arafu a chyflymu am yn ail fel sain hen record feinyl sydd wedi ei hystumio mewn gwres, wrth ymateb i'r gawod o drawiadau rhythmig i'm corff. Mae fy llais yn teimlo fel darn o glai *plasticine* sydd yn cael ei dynnu a'i anffurfio wrth imi geisio gweiddi ar fy nhad-cu, ond gwanhau y mae'r ymbiliadau hynny. Gwanychu mae fy llais. Ar ymylon fy ngolwg, gwelaf waed a phoer, a llysnafedd o'm trwyn yn hedfan o'm cwmpas, a minnau'n chwyrlïo'n chwyrn yn fy unfan, fel sglefriwr ar derfyn ei berfformiad. Ond nid oes terfyn i hyn.

A bron heb imi sylwi, mae fy safbwynt yn newid. Yn agos iawn i'r llawr yr wyf yn awr, yn troelli fel derfis ar fy llorwedd, wedi 'nghwmpasu gan yr ewyn main o waed a baw; gwn fy mod yn ôl ar y ddaear oherwydd pan sylwaf ar Da'cu, rwy'n edrych i fyny arno, a dim ond ei ysgwyddau a chefn ei ben rwy'n eu gweld. Ac fel hyn y gwelaf bethau wrth imi droi o gwmpas fel top: y llawr, yr awyr, wal yr ysgubor, cefn fy nhad-cu. Eto, ac eto, ac eto. Nid oes na chaleidosgop na sgleinder ariannin yn bod rhagor, dim ond dioddefaint a gwewyr.

Rwyf am i'm corff ffrwydro'n ddarnau mân a rhoi taw ar y boen, ac i'r gawod o ergydion a'r aflafaredd ddod i ben.

A dyma fy myd yn tewi eto, a'r uffern yn cilio, a'r llonyddwch yn dychwelyd.

Yr wyf yn ôl yn fy ngwylfa, yn fy ngwynfyd fry, a'm caleidosgop newydd yn ôl yn fy nwylo. O'm cwmpas, mae'r awel liniarus wedi dychwelyd, a'm synhwyrau i gyd fel pe'u bod wedi eu hogi. Mae'r cymylau glaw mân fu'n bygwth ynghynt oll wedi ildio i awyr oleuach, ac mae llacharedd y caleidosgop yntau wedi dychwelyd.

Mae rhywbeth arall yn dal fy llygad, rhyw fegwn fendigedig yn pefrio o gornel y buarth ger y cymysgydd sment, a hwnnw'n troi o hyd ond erbyn hyn yn suol o dawel. Cot yw hi. Cot wedi ei gwneud o blastig ysgarlad; fel mae'n digwydd, cot yn union fel yr un yr wyf innau'n ei gwisgo heddiw. Pwy feddyliai? Ger y got, yn gorwedd yn llonydd mewn ceuffos, mae pêl, ac mae honno hefyd yn union fel y bêl y bûm yn chwarae â hi ynghynt, nid nepell o'r tractor glas a'r cymysgydd sment. Ond, wrth graffu, gwelaf fod y got wedi ei darnu, a'i rhwygo'n rhubanau rhacslyd. Ac rwy'n meddwl hefyd, er na allaf daeru i hyn, fod yna gorff yn gorwedd yn llonydd yn y got. Corff bach. A chan fod pob dim a welaf yn awr yn afreal o eglur, rwy'n sylweddoli bod cochni arall yn ymdoddi ag ysgarlad y dilledyn. Rhosyn godidog yw, yn ymagor yn araf.

Rwyf yn cilio trwy'r niwlen a hynny ar garlam. Mae'r llun yn y caleidosgop yn lleihau wrth imi deithio am yn ôl, ac rwy'n ceisio dal fy ngafael ym mhob dim sydd yn digwydd oddi tanaf; mae fy mrawd, er nad ydyw ond yn un bach, yn dringo o gaban y tractor, wedi iddo dynnu'r botwm tagu ar yr injan. Mae fy nhad yn tendio'n wyllt i'r plentyn. Yna, gwelaf olau glas yn adlewyrchu yn nisgleirder y got goch. Craffaf i weld a ydy Da'cu wedi sylwi. Ond nid yw Da'cu yno yn awr. Ni allaf fod yn siŵr y bu yno o gwbl. Glaniaf yn ôl i'r ddaear.

AM BUM MUNUD
I UN YN BRYDLON

PAN FOD CLYDE yn troi ei ben i ddangos ei broffil i'r byd, Mussolini a welwn.

Mae ganddo drwyn â phont uchel ychydig yn Rhufeinig ei olwg, ac mae ei gorun wedi ei eillio hyd at groen ei ben. Cerdda Clyde fel pe bai ganddo gynffon paun yn sownd wrth ei din. Mae yn aml yn strytio o gwmpas ei gaban gwyrdd fel unben balch, ei ddyrnau tyn a gogwydd penliniau-tuag-allan ei freichiau'n creu'r argraff ei fod yn cario clogfeini anweledig byth a hefyd. Ar y cylchdeithiau hynny, pan fo'r stribedi *hi-vis* arian ar ei *gilet* yn fflachio fel llafnau yn yr haul, mae'n teimlo ar ben ei ddigon. Ymdeithia o gwmpas ei deyrnas a'i frest mor llawn o anadl, hawdd fyddai i rywun ofni y gallai esgyn yn sydyn i'r awyr a hofran i ffwrdd ar yr awel, fel un o'r creadigaethau hynod hynny sydd i'w gweld mewn ralis balwnau. Swyddog diogelwch mewn maes parcio fyddai diwyg balŵn unigryw Clyde.

Mae'n tynnu am un o'r gloch, ac mae Clyde Jones yn dechrau cynhyrfu. Er hynny, nid y syniad o fwyta'r brechdanau cornbîff a phicl a baratôdd i'w hunan ryw saith awr yn ôl sydd yn gwneud i'w waed bwmpio ychydig yn gyflymach. Na, rhywbeth llawer mwy cyffrous na hynny sydd yn yr arfaeth. Nid yw cynnwrf Clyde yn deillio chwaith o'r addewid o gael plannu ei ddannedd yn lafoeriog yn y porc pei a'r baryn Kit Kat a eistedda'n dwt yn ei focs bwyd; mae pob eitem yn yr arlwy wedi ei bacio'n ddestlus, heb rych lled pryfyn rhyngddo a'i gymydog. Mae Clyde wedi bod yn gweithio yma ers deng mlynedd ar hugain, ac mae wedi perffeithio'r ddisgyblaeth o bacio ei dun bwyd; creda y gallai diwtora ar y pwnc mewn dosbarthiadau nos. Meddylia weithiau ei fod yntau, wrth iddo eistedd yn ei fwth cyfyng, yn union fel y bwyd yn ei dun.

Un felly yw Clyde. Un cysáct a chywir. Pe byddai ganddo wallt, ni fyddai'r un blewyn o'i le. Mae Clyde Jones yn un o'r dynion hynny sydd yn smwddio ei ddillad isaf.

Mae'n ddeng munud i un. Wedi ei gylchdaith o gwmpas y maes parcio, mae Clyde yn ôl yn eistedd yn ei gadair yn ei loc bach, yn mwynhau orig cyn cinio. Edrycha allan drwy ffenestr ei 'swyddfa', fel yr hoffa Clyde alw'r gell o ffeibr gwydr nad yw'n mesur llawer mwy na metr a hanner yn sgwâr.

'Un eiliad,' yw'r ateb, siriol ond ffurfiol, a ry ef i'r rhai sy'n ei holi ynglŷn â rhif eu bae parcio penodedig. 'Af fi i wirio gyda nhw yn y swyddfa.'

Yna, bydd yn diflannu yn ôl i'w gaban er mwyn codi ei glipfwrdd a gwirio'r dosraniadau parcio, cyn ailymddangos a chamu, yn ei amser ei hun – *wastad* yn ei amser ei hun – tuag at y botwm coch sydd yn codi'r fraich hir a orwedda ar draws y fynedfa. Er iddo flino defnyddwyr y maes parcio gyda'r un jôc, fe wyddant mai gwatwar am 'y swyddfa' yw un o bleserau bywyd Clyde, ac maent yn dangos eu gwerthfawrogiad gan wenu'n lastwraidd.

Cadair sy'n medru troelli ar ei spigod yw'r gadair yng nghaban Clyde. Un ledr, ddu sy'n efelychu sedd fwced fel sydd mewn car ralïo, ond heb fod *cweit* mor gyffrous, hwyrach. Derbyniodd gadair arall, un ddigon da, gan ei gyflogwyr, y gwneuthurwyr paent byd-enwog, Peele & Coates, pan ddechreuodd weithio yno flynyddoedd yn ôl. Cadair blastig ddinod oedd hi, gyda sedd oedd hefyd yn troelli a chanddi gynhalydd cefn o neilon melyn. Ond ni theimlai Clyde fod honno'n gweddu i bwysigrwydd y swydd. Arbrofai wedyn am yn hir gyda gwahanol fathau o gadair. Cadeiriau *patio* plastig. Cadair 'cegin ffarm' wedi ei gwneud o bren pîn. Rhyw greadigaeth ryfedd o diwbiau metel gwyrdd a ymdebygai i sgimbren dyfarnwr tenis. Ar un tro, edrychai'n debyg mai hen gadair fagu ei fam-gu – un swêd werdd, yr un siâp ag awrwydr, gyda choesau cerfiedig – fyddai'r un i'w orseddu am weddill ei ddyddiau gwaith, ond ni allai Clyde weld uwchben gwaelod y ffenestr wrth eistedd yn honno, a theimlai y byddai peidio â chael ei weld yn ei gaban, ond am fodfedd neu ddwy o'i gopa moel, yn tanseilio ei awdurdod fel dyn seciwriti o gryn hygrededd. Na, y gadair fwced oedd yr un y setlodd arni. Yn llythrennol. Un awdurdodol a gwrywaidd yw hi. Trahaus a swyddoglyd. Ac yn syndod o feddal.

Mae Clyde yn ymlacio am eiliad. Mae'r ymchwydd annaturiol a lenwai ei frest eiliadau yn ôl wedi llithro fymryn i lawr ei dorso, i rywle llawer mwy cynefin, ac mae'r swyddog maes parcio'n gorffwys ei focs bwyd ar y silff anatomaidd sydd wedi ymddangos yn wyrthiol o'i flaen. Yn ddifeddwl, mae'n rhoi plwc i un o'r blewiach anystywallt yn ei drwyn, ac mae hynny'n pryfocio deigryn annisgwyl. Agora Clyde ffenestr ei gell trwy gydio yn y glust fach bersbecs ar waelod y cwarel, ac mae'n taflu'r blewyn crych i'r gwynt; mae'r gwynt yn ei chwythu yn ôl i mewn i'r caban. Er gwaethaf ei hun, mae'n gwneud dymuniad distaw, cyn codi macyn *antibac* o becyn cyfleus, a sychu ei ddwylo. Mae un o'r gloch yn nesáu fesul eiliad. Ni all yr eiliadau dreiglo'n ddigon cyflym iddo, ond eto fe deimla'r aros yn amheuthun. Mae'n sychu'r lleithder oddi ar ei wyneb; ni wnâi'r tro iddo gael deigryn yn ei lygad, ta waeth sut y crëwyd ef, pan fydd y digidau ar sgrin ei ffôn wedi tipian heibio i un o'r gloch.

Yn ddiweddar, mae Clyde wedi dechrau torri arferiad oes yn ei waith. Mae'n agor ei becyn bwyd am bum munud i un, yn hytrach nag am un o'r gloch yn brydlon. Ni ddaeth y penderfyniad yn hawdd iddo. Y troeon cyntaf, ni hoffai'r teimlad o dramgwyddo ei amserlen yn fwriadol; oni lunnid amserlenni gan y ddynoliaeth ar hyd yr oesoedd at ddibenion hanfodol bwysig, at ddibenion cadw trefn? Onid prydlondeb a chydymffurfiaeth sydd yn cadw peiriant cymdeithas i fynd? Nid yw'r syniad o fod yn fandal cyfundrefnol yn ei lenwi â balchder. Mewn gwirionedd, teimla Clyde dipyn o gywilydd am ei fod wedi andwyo, o'i ddewis ei hun, ddyrnaid o egwyddorion yn ymwneud â phrydlondeb a threfn a fu'n ganllawiau cadarn i'w fywyd.

Nid yw Clyde yn ddyn digrebwyll. Mae'n argyhoeddedig

ei fod yn gwybod pam ei fod fel ag y mae. Yn gryf iawn ynddo o hyd, yn rhan o'i wead hanfodol, mae'r siom a deimlai gydag amhrydlondeb cyson ei rieni ei hun; roeddent wedi byw fel petaent yn bodoli y tu allan i ffiniau amser, a brithiai eu difaterwch blentyndod Clyde. Rhy niferus i'w cyfrif oedd yr adegau hynny pan gyrhaeddai i bartïon pen-blwydd ei ffrindiau wrth i nodau olaf 'Pen-blwydd hapus' lifo ato ar garreg y drws, eu ffrindiau a'u rhieni eisoes wedi gafael yn eu cotiau a'u bagiau parti mewn paratoad i adael. Y cyfan oherwydd i'w dad fod yn trwsio'r gerbocs ar ei gar, a'i fam wedi ei gludo i'r soffa gan felodrama simsan *Crossroads*. Addawodd Clyde i'w hunan ryw noson, a'i Action Man a'i Evel Knievel yn dystion i hynny, na fyddai fyth heb wats am ei arddwrn, gyhyd ag y byddai.

Ond mae Clyde wedi pennu trefn newydd i'w hun. Caiff ei ginio o hyn ymlaen am *bum munud i un*. Mae'n fodlon â'r drefn hon, a rhaid glynu wrthi yn awr. Ar ei ffôn, fe dystia i bum munud i un yn tipian i fodolaeth, ac mae Clyde yn rhyddhau'r anadl a dynnodd ryw hanner munud yn ôl; yna, mae'n anadlu i mewn yn ymffrwydrol, fel petai'n dod i'r wyneb mewn pwll nofio. Fe wna hyn o bryd i'w gilydd, pan fo'n canolbwyntio, neu'n teimlo'n nerfus, neu'n gynhyrfus, a theimla'r ddau beth hyn yn awr wrth gnoi ar ei frechdanau, oherwydd, ymhen pum munud, fe ddaw *hi*, Liwsi, heibio.

Ni ŵyr ef os mai Liwsi *yw* ei henw ai peidio – go brin – ond dyna'r enw y mae wedi ei roi iddi; mae'n edrych fel 'Liwsi', rywsut. Am un o'r gloch fe fydd hi'n ymddangos o dan y fedwen arian ym mhen draw'r stryd, gyda'i golygon ar ei mobeil a'i gwallt tonnog melyn yn syrthio fel llen dros ei llygaid wrth iddi gerdded a'i phen am i lawr. Am un o'r gloch, fe ddaw fel sibrwd i lawr y stryd, yn awel felys i sirioli byd dyn y maes parcio am ryw hanner awr. Yna, bydd yn eistedd ar y fainc gyferbyn â mynedfa Peele & Coates i fwyta ei chinio. Am un o'r gloch, fe fydd byd Clyde yn fyd gwell.

Mae'r swyddog wedi arfer â gwylio Liwsi'n ddistaw. Ar yr adegau hyn, ofna Clyde symud yn ei sedd, neu anadlu'n rhy drwm hyd yn oed, rhag ofn iddo ddenu sylw'r ddynes benfelen yn ddamweiniol, a'i dychryn oddi yno fel rhyw aderyn swil; mae Clyde, yn ei giosg, fel gwyliwr adar mewn *bivouac*. Fel aderyn bach y mae Liwsi'n bwyta hefyd, gan ddeintio ei bwyd yn dameidiog cyn codi ei golygon i edrych o'i chwmpas; meddylia Clyde nad yw hi'n un sy'n hoff o gael ei gweld yn bwyta. Ond eto, er nad yw am *ddenu* ei sylw, mae Clyde *am* i Liwsi sylwi arno. Mae am iddi wybod ei fod yno, a'i weld fel y dyn pwysig ydyw yn ei weithle, ond nid yw am weld y weledigaeth hyfryd hon yn esgyn yn ddisymwth ychwaith, oherwydd rhyw ymddygiad clogyrnaidd ar ei ran yntau.

Brechdan tiwna *mayo* a photyn o iogwrt blas ceirios. Dyna gaiff Liwsi i ginio yn ddi-ffael. Fe ŵyr Clyde hynny wedi iddo godi'r pecynnau gweigion o'r bin i'w hastudio rywdro, ar ôl i Liwsi ddiflannu eto, yn ôl i ble bynnag y daw hi bob dydd. Ac fe aiff ceidwad y maes parcio i eistedd, ar adegau tawel, ar fainc Liwsi er mwyn gweld y byd trwy ei llygaid hi. A beth a wêl hi oddi yno? Beth sy'n llenwi ei golygon pan mae'n gorffen ei chinio ac yn myfyrio am ennyd, fel y tystia Clyde iddi ei wneud yn aml? Ar ei eistedd, gwêl Clyde y muriau gorchfygol eu naws sydd yn nodweddu'r adeiladau ôl-ddiwydiannol yn y stryd a arweinia at y dociau. Dyw'r rhain ddim wedi eu 'boneddigeiddio' eto, ond fe ŵyr Clyde mai mater o amser fydd hi nes bod yr Audis a'r Mercs yn leinio'r ffordd, a phob yn ail ddrws yn agor ar siop goffi, os yw gweddill y ddinas yn arwydd o'r hyn sydd i ddod.

Ar y fainc, craffa Clyde ar y llongau cludo gorlawn yn cyrraedd y dociau gerllaw, a'r rhai gweigion yn hwylio oddi yno. O'r eisteddfa, mae drewdod y tanwydd morwrol i'w glywed yn llawer cryfach na'r hyn sydd yn cyrraedd ei ffroenau pan fydd yn eistedd yn ei gaban bach. Medr weld hefyd, o bell, y siopwyr a'r ciniawyr yn y bae yn gwau ymysg ei gilydd yn ddi-hid fel rhyw organedd enfawr. Mae'r dyrfa fel un endid byw hedonistaidd, sydd yn atgoffa Clyde o fwystfil a welodd unwaith mewn hen *B-Movie* yn nyddiau ei blentyndod, sef blotyn jelïog anferth a ddifaodd ac a fwytaodd bob dim yn ei ffordd.

Mae'r caban yn blaen o gyfeiriad y fainc, mor amlwg â hoelen ar bostyn. Mae'n ymddangos i Clyde fel petai'n perthyn i weithle cwbl ddierth, mor wahanol yw'r gogwydd a gaiff o'r man hwnnw. Amlwg hefyd yw bod modd i Liwsi ei weld yntau'n ddirwystr; teimla Clyde fod y caban a'r fainc yn agosach at ei gilydd nag yr ymddangosant o safbwynt y caban ei hun. Dyna pam yr eistedda Clyde â drws ei swyddfa led y pen ar agor bob amser cinio, fel brenin yn ei gadair dra awdurdodol. Brenin y Maes Parcio ar ei orsedd. Gobeithia

Clyde nad yw ef ei hun yn ymddangos i Liwsi fel elfen goll yn y tirlun prysur. Gobeithia ei bod hi'n ei weld.

Yn ôl ei arfer bob amser cinio, mae Clyde yn gwasgu'r papur ffoil yn bêl dynn ar ôl gorffen ei siocled Kit Kat a'r llawes bapur wedi ei throi'n anifail origami eisoes. Yna, mae'n fflicio'r bêl alwminiwm gyda'i fys canol tuag at y gôl y mae'n ei ddychmygu rhwng dwy sêm yng ngwneuthuriad y wal ger bwrdd bach ei gaban. Mae'r bêl yn methu'r gôl o drwch blewyn. Teimla Clyde y siom o fethu, ond fe ddaw drosti. Bydd yn rhaid iddo gofio codi'r belen ffoil cyn diwedd ei sifft, a'i gosod yn y bin, gan nad yw am droi yn ôl ar ei daith adref yn unswydd er mwyn gwneud hynny. Eto.

Mae'r digidau yn ffenestr ei ffôn yn cyfrif, fesul eiliad, y funud olaf i lawr. Daeth yn bryd i Clyde baratoi. Mae'n symud ei gadair fymryn er mwyn sicrhau ei fod i'w weld yn blaen trwy ddrws y caban, ac mae'n llyfnhau ei fest *hi-vis* â'i ddwylo, fel petai'n siaced siwt Armani. Mae'n cymhennu gweddillion ei ginio o olwg y byd, ac yn mwytho'n wastad groen sgleiniog ei gorun, cyn rhoi ei ben i bwyso'n ddidaro yn erbyn ei ddwrn, a sicrhau bod cyhyrau ei elin wedi eu hystwytho'n galed fel dur. Gyda'r cyfrif i lawr yn dangos deg eiliad yn weddill, mae Clyde yn tynnu ei fol i mewn â phob gronyn o'i benderfyniad. Os yw Liwsi yn ei weld, yna mi fydd *werth* ei weld. Mae'r cloc digidol, o'r diwedd, yn cyrraedd Awr yr Addewid. Un o'r gloch.

Arhosa Clyde am ymddangosiad anochel Liwsi. Ymhen dim, fe fydd hi'n dod i ben y stryd i godi naws amgylchfyd y gofalwr maes parcio. Mater o eiliadau'n unig sydd yna cyn daw'r ddynes ifanc fel comed ddisglair i ymweld â'i fydysawd, cyn symud ymlaen unwaith eto, hyhi a'i llacharedd. Ac unwaith y bydd Liwsi'n cyrraedd y fainc a enwyd ar ei hôl (er na ŵyr hi na neb arall hynny), yr un fydd y drefn ganddi. Fe fydd yn eistedd, gosod ei bag ar y fainc ger ei chlun dde a rhoi ei ffôn i gadw ynddo. Yna, bydd yn estyn ei bwyd ac yn gosod y frechdan a'r iogwrt ger ei chlun chwith, gyda'r frechdan bellaf i ffwrdd oddi wrthi. Wedi iddi lanhau ei llwy de fetel gyda weip (un *anti-bac*), ac yna ei sychu â hances bapur, caiff y llwy ei gosod ger y potyn iogwrt. Wrth iddi weithio ei ffordd yn dawel drwy ei phryd, bydd yn codi bob hyn a hyn er mwyn gosod y gwastraff yn y bin gerllaw, nes ei bod wedi gorffen ei chinio, gan adael ei mainc yn union fel pe na bai hi wedi bod ar ei chyfyl. Mae ganddi drefn, ac mae'n drefn sy'n plesio Clyde. Mae'n drefn y mae yn ei chael yn *gynhyrfus*; yn ddinewid. Yn rhythmig. Yn rhywiol.

Fe ddaw hi. Unrhyw eiliad nawr. Yn ei gynnwrf, mae Clyde yn dal ei anadl yn dynn, ond fe ollynga gyfres anwirfoddol o allanadliadau gwichlyd bob hyn a hyn sydd yn swnio fel aer yn dianc o wddf balŵn. Ac yna, fe wna rywbeth nad ydyw fel arfer yn rhan o'i ddefod. Mae'n sbecio ar gloc ei ffôn, ac fe wêl ei bod yn funud a hanner *wedi* un; coda ei fraich at ei wyneb gan ddinoethi ei wats, a'r un yw'r amser ar honno hefyd. Ond fe wyddai hynny cyn taro golwg ar yr un amserydd, cystal dyfais yw ei gloc mewnol. Mae hwnnw wedi ei hogi, wedi ei fanwl diwnio, ar hyd oes ei berchennog i fod yn fwy dibynadwy nag unrhyw gloc atomig. Medr Clyde *deimlo* bod y ddynes yn hwyr, a hynny ddim ond o funud a hanner.

Ystyria Clyde godi oddi ar ei eistedd a mynd i sbecio y tu hwnt i'r gât, lle caiff well golwg ar ben y stryd, ond mae'n penderfynu peidio. Byddai hynny'n tramgwyddo'n ormodol ar ei drefn ddyddiol; mae'n ddigon ei fod yn gorfod sortio trefniadau parcio y gweithwyr sy'n mynd a dod fel ag y mynnan nhw yn ystod yr awr ginio. A beth petai Liwsi'n dod o gwmpas cornel yr heol a gweld ei fod wedi cefnu ar ei safle, ac yna'n tystio iddo'n sgrialu fel chwilen yn ôl i'w loc bach? Beth feddyliai hi ohono?

Ond does dim yn newid y ffaith fod Liwsi'n hwyr. Dylai hi fod wedi setlo ar ei mainc erbyn hyn, a dylai fod wedi dechrau rhoi trefn ar ei phryd bwyd. Dydy hyn ddim fel Liwsi o gwbl. Fyth ers iddo sylwi am y tro cyntaf arni'n dod i eistedd ger mynedfa'r maes parcio i fwyta ei chinio, fe gadwai Liwsi amser fel pendil. Annwyd. Ie, dyna hi, meddylia Clyde, rhaid bod annwyd arni. Anhwylder sydd yn ei chadw draw. Nid ei bod yn dywydd annwyd, chwaith. Sylweddola Clyde, er gwaetha'r teimlad sydd ganddo ei fod yn ei 'hadnabod' mor dda, nad yw'n gwybod dim amdani, heblaw ei bod yn hoffi bwyta ei chinio gerllaw. Ni ŵyr ddim am ei gwaith – os *ydyw* mewn gwaith – na'i chefndir, na'i hoedran na dim. Dim hyd yn oed ei henw. Hwyrach mai dim ond am gyfnod penodol roedd hi yn y cyffiniau? Ai gwaith dros dro, fel athrawes gyflenwi efallai, a ddaeth â hi yno yn yr achos cyntaf? Ai'r tro diwethaf iddo ei gweld hi, y diwrnod cynt, fyddai'r tro olaf un?

Cwympa calon Clyde fel trawst haearn, gan ychwanegu at y clindarddach diddiwedd a ddaw o gyfeiriad y dociau gerllaw. Mae'n llygadu'r fainc gan feddwl pa mor wag y gallai ymddangos o hyn ymlaen, mor anghyflawn; er, cyn iddo sylwi ar Liwsi'n ei defnyddio, nid oedd yn ymwybodol bod yno fainc o gwbl. Roedd yn well gan bobl eistedd ar y meinciau yn nes at y bae, yn nes at yr heulwen a gwareiddiad, ac nid eisteddai'r un bod byw mewn man mor ddinod, mor ddiarffordd nes bod Liwsi'n taro heibio. Pwy fyddai eisiau eistedd am hanner awr gyferbyn â mynedfa ddiflas i faes parcio preifat mewn stryd gefn? A pham fyddai Liwsi? Cwestiynau fel hyn sydd yn plagio Clyde, fel gwyfynod aflonydd o gwmpas cannwyll bŵl ei grebwyll. Penderfyna mai diddiben yw'r dyfalu. Hwyrach y daw hi yn ôl yfory, os taw annwyd sydd arni. Neu drennydd, neu dradwy.

Ond ni all Clyde dawelu'r mwstwr y tu mewn iddo, ac erbyn hyn mae ei ddychymyg wedi cynhyrfu. Yn ei feddwl, mae'n gweld corff main benywaidd yn gorwedd yn llonydd ar darmac Stryd yr Iwerydd, y stryd fawr sydd yn derbyn holl strydoedd y ddinas fel rhagnentydd i'w hafon. Gyda'i llygaid – gleision yn ddiau – yn agored, fe orwedd Liwsi yno gyda chwr o gerddwyr yn plygu drosti, oll yn gwasgu'n ddiamynedd yn erbyn ei gilydd yn eu hawydd i gael y profiad o weld corff marw yn brofiad troëdig. Daw ffrwd fain o gornel ei cheg, fel petai ei minlliw yn toddi, wrth i gri tonnog seiren godi'n uwch ac yn uwch yn y pellter.

Teithia dychymyg Clyde un cam eto yn ôl mewn amser, ac fe wêl Liwsi'n croesi'r ffordd, eiliadau cyn ei damwain, a'i gwallt yn cynhyrfu'n hamddenol fel cae o wenith mewn awel. Mae golygon Liwsi ar ei ffôn. Daw tacsi ar frys o gyfeiriad Gerddi Dewi Sant; mae'r gyrrwr yn hwyr wrth deithio i godi ei gleient nesaf, cleient bara menyn sy'n dipiwr arbennig, ac mae ei sylw yntau hefyd ar sgrin ei ffôn. A dyma'r gwrthdrawiad anochel wedyn. Fe wêl Clyde – ac fe deimla hefyd – gorff Liwsi'n torri yn erbyn y cerbyd mewn chwa gref, cyn iddi gael ei thaflu i'r awyr, yn ddoli glwt ddiymadferth. Ac yna, mae'n glanio'n ysgafn ddidaro, gan gusanu'r tarmac du â'i chorff, ac wrth i lafnau o heulwen oleuo'r olygfa cyn pylu'n ddisymwth, mae'r bywyd yn diffodd ynddi.

Mae dychymyg y swyddog maes parcio erbyn hyn mewn twymyn, ac mae'n gweld ffodiau hyd yn oed yn waeth i'r ddynes berffaith, brydlon (tan yn awr), hon. Mae'n dychmygu ei chorff yn arnofio, yn towcio yn nŵr hallt a broc y bae. Ophelia ymysg y llongau a'r sbwriel dinesig.

Fel ci hela'n cyrraedd glan afon, mae Clyde yn ysgwyd ei hun o'i bensyndod. Ni thâl iddo ddychmygu erchyllterau fel hyn, nac ychwaith feddwl y gwaethaf o sefyllfa sydd, yn ddiau, yn un ddigon diniwed, yn ddigon esboniadwy. Nid ei ffordd yntau yw panicio, na mynd chwaith ar ddisberod ffantasïol. A dweud y gwir, teimla Clyde ei hun yn crynu am ei fod wedi mynd i ddychmygu mewn modd mor llachar, mor greulon, ac er nad yw wedi ysmygu ers dyddiau ei ieuenctid, am eiliad neu ddwy mae'n edifeirio rhoi'r gorau iddi. Eistedda'n dawel yn ei gaban, yn sedd droellog ei rym, ac yn ddifeddwl mae'n sugno'r aer i mewn yn daer trwy wefusau crynedig, ac yna'n anadlu allan yn hamddenol, fel petai'n sawru mwg sigarét; nid yw wedi anghofio ystumiau'r arferiad – *muscle memory,* ys dywed – na'r pleser lliniarus o dynnu'r anadliad miniog cyntaf o fwg i'w frest. Fe gofia sut yr ymatebai ei gorff i'r drachtiau cymylog hynny bob tro y cynheuai ffag, a'r nicotîn yn gwefrio ei waed fel pinnau bach drwyddo. Yn awr, mae'r atgof bron yn ddigon i'w fodloni. Mae'n edrych ar ei ffôn; mae'n ugain munud wedi un. Mae'n stympio ei sigarét ddychmygol, a theimla'n euog ar unwaith am ei fod wedi ei hysmygu. Yna, trwy gornel ei lygad, mae'n gweld ffigwr cyfarwydd yn dod i ben y stryd.

Cerdda Liwsi â'i phen yn ei ffôn, yn ôl ei harfer, yn ling-di-long, a hithau eisoes ugain munud yn hwyr. Wrth iddi nesáu, daw mynegiant ei hwyneb yn gliriach i Clyde. O bryd i'w gilydd mae'n gwenu wrth ymateb i'r hyn ddaw ar sgrin ei ffôn, a'r gwenau hynny'n rhai llydan, heulog. Aiff heibio i gerddwyr eraill ar y palmant heb eu gweld, gan achosi i ambell un ei hochrgamu ag ochenaid diamynedd. Oherwydd ei cherddediad oediog, nid yw'n ymddangos fel petai am adennill y munudau a gollwyd ganddi ar ddechrau ei horig ginio. Mae'n eistedd ar ei mainc, ond nid yw'n dechrau ar unwaith ar ei defod fwyta arferol gan fod ei sylw rywle amgenach. Deil Liwsi ei ffôn yn ei llaw, gyda'r sgrin yn ei hwynebu o hyd. Gall Clyde weld o'i gaban ei bod hi'n dal i wenu a chwerthin, ac yn siarad bob hyn a hyn; o leiaf, fel hynny mae'n ymddangos iddo, er nad oes unrhyw obaith iddo ddehongli'r hyn a ddywed oddi bell. Cyn ymbalfalu yn ei bag am ei chinio, mae Liwsi'n cyfeirio chwifiad bychan gyda blaen ei bysedd i gyfeiriad y sgrin, cyn ei diffodd.

Wrth gael Liwsi'n dod unwaith eto i'w amgylchfyd, teimla Clyde guriad ei galon yn cyflymu. Fodd bynnag, nid cynnwrf pleser yw tanwydd ei byls y tro hwn, ond rhyw ddolur yn hytrach; nid yw ymddangosiad y ddynes yn ei gyffroi yn yr un modd yn awr. Daw gwg fel diffyg ar yr haul dros ei dalcen, a theimla ei wefusau'n troi'n gwlwm tyn o anghymeradwyaeth. Mae'n syllu arni, gan hanner teimlo y dylai *hi* ddod i ymddiheuro iddo *fe* am gyrraedd mor hwyr. *Ugain munud* yn hwyr. Fe *ddylai* ddod i gnocio ar ddrws ei gaban, a dweud wrtho fod yn ddrwg ganddi am wneud iddo boeni, am achosi iddo ddychmygu pob math o bethau ofnadwy. Ond, yn lle hynny, eistedda hi yno'n gwbl ddi-hid, yn torheulo yn ôl-dywyniad ei sgwrs ffôn. A'r hiraf i gyd y sylla Clyde arni, fe deimla ei edmygedd ohoni'n oeri wrth i ryw ddiffyg amynedd gynnau a chodi'n boeth drwyddo, fel sudd mewn danhadlen.

Wedi iddi fod prin ddeng munud ar ei mainc, mae Liwsi'n codi ac yn gadael. Nid yw wedi bwyta llawer, ond am ei iogwrt. Mae Clyde yn ei gwylio'n diflannu, a'i gwallt anystywallt, yr un lliw â phiso, yn chwipio fel cadachau carpiog yng ngwynt y bae.

Bu fandaliaid ar hyd y lle neithiwr. Trwy gil ei lygad, sylwa Clyde ar y difrod a wnaed ganddynt wrth iddo frasgamu â rhyw drahauster adfywiol ar ei orchwyl o gwmpas y maes parcio. Daw'n ymwybodol o lori'r Cyngor Sir sydd yn ymlwybro i lawr y stryd i gyfeiriad mynedfa'r maes parcio. Ymhen ychydig, mae'n stopio'n union gyferbyn â'i gaban, gan chwydu tri o weithwyr cownsil i'r palmant, oll wedi eu harfogi â driliau a llifiau, ac amrywiaeth o declynnau pwrpasol. Wedi iddynt wneud asesiad, diangen o fanwl, o natur y gwaith o'u blaen, maent yn bwrw iddi i ddatgymalu'r hyn sy'n weddill o'r fainc a chwalwyd gan rywrai yn ystod y nos, drygioni a gyflawnwyd ar yr union eiliad y bu i system *CCTV* cwmni Peele & Coates, a chanddi un camera a'i olygon ar fynedfa'r maes parcio fethu. Yn ddifynegiant, mae Clyde yn eu gwylio wrthi am sbel, cyn troi yn ôl at ei gaban. Heddiw, mae'n ffansïo rhyw newid bach i'w amserlen, plygu'r drefn rhyw *ychydig*. Mae'n eistedd yn ei gadair droellog ac yn gosod ei focs brechdanau o'i flaen ar y bwrdd. Fe gaiff ei ginio heddiw am un o'r gloch. Fe ddaw pethau yn ôl i drefn.

NYTHOD

Eisteddodd yno'n craffu ar yr adeilad rhyfedd yn y bondo, a synnodd fod creadigaeth o lacs a phoer yn medru bod mor gydnerth. Yn medru bod yn gartref cystal. Ychydig fisoedd ynghynt, fe fu'n dyst edmygus i brysurdeb pâr o Wenoliaid y Bondo yn eu cyrch i godi eu nyth at y tymor cenhedlu. Byddent yn hedfan i lawr at yr afon i gasglu mwd yn eu cegau, yna'n dychwelyd ar ras i ychwanegu rhagor o'u clom unigryw i'r 'briciau' bychain a gyfrannwyd eisoes i'r strwythur; eu tafodau meinion yn chwistrellu'r glud gwinau yn haenau destlus ar ben gwaith y diwrnod cynt. Yn gynharach yn y flwyddyn, yn ystod y gwanwyn, astudiai Iwan, yn aml ac o bellter digon parchus, y ddau aderyn wrth iddynt seibio weithiau y tu ôl i furiau eu noddfa anorffenedig – ysbaid cyn hwylio eto fel dartiau gleision trwy'r awyr ar eu gorchwyl i gyfeiriad yr afon. Nid oeddent yn swil o'u hastudiwr. Edrychent yn ôl arno, gyda llygaid botymog o lo tawdd, a theimlai Iwan eu bod yn edrych i'w enaid, eu bod wedi ei ddeall yn ei holl hyd a'i led. Teimlai hefyd braidd yn ffôl am weld arwyddocâd yr hyn nad oedd, siŵr o fod, yn fwy na sylliad gwag yn ôl i'w gyfeiriad, ond dyna oedd yr argraff a gâi ohonynt, er nad oedd yn sicr fod ganddynt unrhyw allu i'w 'ddadansoddi'. Dywedodd milfeddyg wrtho rywdro – ar ôl iddo fynd â cheiliog clwc at y feddygfa, un o'r dyrnaid o ieir a gadwai yn ei ardd 'hobi' – fel modd o ddarlunio mor fach oedd ymennydd yr aderyn, bod llygaid ffowlyn yn cyffwrdd â'i gilydd ynghanol y benglog. Ai dyna i gyd oedd y pâr hyn o adar bychain a hawliai gymaint o'i sylw, felly; bwndeli o reddf ehedog?

Cadwai Iwan lygad ar fynd a dod ei deulu o adar yn ystod misoedd haf y flwyddyn honno. Yn barod iawn yr âi ef i synfyfyrio ar eu cyfyl ac yn eu cylch; am eu cynefin brodorol ar gyfandir pellennig. O ba ran o Affrica y tarddent? A pham hedfan pellteroedd anferth i dreulio cyfnod mor allweddol i'w parhad fel rhywogaeth mewn lle a fedda ar hafau mor ddiflas? Pam ffoi o des bwydlon eu hendre bell i lannau llwydaidd y wlad hon? Am eu bod wedi'u geni yma, meddyliodd Iwan, ac am nad oedd ganddynt ddewis ond halio eu hunain yn ôl yma. Roeddent yn ymateb i alwad gyntefig nad oedd modd ymwrthod â hi, atynfa a'i gwreiddiau'n tarddu o'r gwawrddydd cyntaf un.

Hoffai Iwan gysur y ddamcaniaeth ddidramgwydd hon; ni chredai mewn rhagluniaeth o unrhyw fath, gan fod cysyniad felly'n pwyso'n llawer rhy drwm ar y syniad bod rhywrai eraill, rhyw 'asiantaethau' yn llywio ei draed ac yn eu sodro ar hyd llwybr penodedig. Ni hoffai'r ddamcaniaeth ein bod oll, wrth fwnglera trwy fywyd, yn gwneud hynny gan ddilyn cyfarwyddiadau map a ddarluniwyd eisoes ar ein rhan; ein bod yn dawnsio'n ddiwyro i dôn rhyw Bibydd Brith arallfydol. Ond 'ffawd'? Nid oedd yn siŵr am ffawd chwaith. Yn ei farn ef, ni ellid pennu unrhyw beth yn 'ffawd' ond trwy ôl-syllu, trwy ddoethinebu wedi'r digwydd, a gwyddai Iwan i sicrwydd na thynghedwyd i unrhyw beth ddigwydd erioed.

Mewn greddf y credai Iwan. Yn gignoeth, cyhyrog a gonest, roedd greddf mor ddiymwad â disgyrchiant y ddaear. Greddf yn unig a dynnai'r adar yn eu hôl, er y dychwelent bob blwyddyn i fynwes lai a llai o'u tebyg, a gwyddai Iwan mai mater o amser oedd hi nes yr âi ei deulu o ymwelwyr hefyd yn ddim ond atgof, fel y gylfinir a rhegen yr ŷd...

Taflodd Huw dywel te y Ddraig Goch i waelod y bocs fel padin amddiffynnol cyn gosod y lluniau a fu, ers iddo ddychwelyd o'r brifysgol dair blynedd ynghynt, yn crogi'n lled gam ar furiau ei ystafell wely. Yn awr bod y muriau hynny'n wag, synnodd wrth ystyried pa mor fawr oedd ei lofft, wedi iddo ddadlau yn yr achos cyntaf bod ei frawd wedi cael ystafell dipyn mwy na'r un a gafodd ef yn y Dyraniad Mawr.

Ychydig iawn oedd ar ôl gan Huw i'w bacio bellach, gan fod y rhan fwyaf o'i bethau eisoes wedi eu trosglwyddo, damaid wrth damaid yn ei Nissan bach glas, i'r tŷ a brynwyd ganddo ryw bedwar mis ynghynt ar y cyd gydag Annie, ei gariad. Bu'r ddau wrthi fel picwns ers hynny'n codi hen garpedi, stripio papur wal, sandio lloriau, mynd ar dripiau lu i'r dymp, a phaentio welydd a phren yn eu ffordd ddi-hid eu hunain. Diolch i'w diffyg profiad, ac er gwaethaf eu bwriadau i addurno eu cartref newydd yn yr un dull destlus â'r eiddo a welwyd ganddynt ar gynifer o raglenni 'makeover', roedd eu tŷ wedi mynd yn frychfa o sblashis paent. Roedd hyn yn destun rhwystredigaeth i rieni Huw, rhai a oedd wedi hen berffeithio'r grefft o addurno tŷ, ond ni phoenai'r pâr ifanc am wedd amaturaidd eu cartref. Ni welent y beiau.

Gan agor drâr ar ôl drâr y gwyddai eu bod yn wag, chwiliodd Huw am bâr o jîns i'w gwisgo, ond roedd Annie eisoes wedi cludo gweddill ei ddillad i'w tŷ y bore hwnnw, gan adael ei sboner â dim ond y pâr o drowsus a'r crys-t y syrthiodd i gysgu ynddynt y noson gynt. Eisteddodd yn ôl ar ei wely noeth. Hyd at yn ddiweddar, fe fu pob dim a ymwnâi â sefydlu cartref iddo'i hun yn ffynhonnell o gyffro iddo. Do, fe fu cyfnodau diflas y cythraul hefyd, fel yr ymwneud â'r banciau a'r ffurflenni a'r cyfreithwyr, ond cyn gynted ag i'r ffurfioldebau blinedig hynny basio, ni fu'n hir cyn iddi wawrio ar y pâr ifanc fod ganddynt fywyd cyffrous o'u blaen. Pan dderbyniodd y gwerthwr eu cynnig, dyma ganiatáu iddyn nhw ddychmygu'r gwynfyd a arhosai amdanynt. Ysent yn dawel am gael gosod seiliau eu dyfodol eu hunain, am gael bod yn ffynhonnell i deulu, yn flagur newydd ar y gangen. Teimlent eu bod yn barod i dorri cwys yn lle parhau i eistedd yn rhigol eu plentyndod, rhigol a fu unwaith mor gysurlawn. Fel cimwch mewn dŵr yn araf boethi, ni sylwodd Huw ar y newid nes bod y cyflwr newydd yn gwbl hydeiml iddo, a gwres cynefin ei febyd wedi mynd yn anghysurus. Daeth yn amser dringo ochrau'r badell.

I Huw ac Annie, amheuthun oedd meddwl am fyw eu bywyd ar eu telerau eu hunain; byw'n rhydd, a gadael y bocs pitsa gwag ar y ford goffi dros nos os dymunent; cael cysgu i mewn fore Sadwrn, cadw sŵn yn nghwmni eu ffrindiau hyd oriau mân y bore. Ac, yn chwech ar hugain mlwydd oed, ac yntau wedi manteisio ar ei gyfnod yn ôl gartref i gynilo a gori rhyw fath o gynllun bywyd, teimlai Huw ei fod ychydig yn rhy hen i dderbyn cerydd byth a hefyd gan ei fam am gadw ystafell anniben, ta waeth mor 'gywir' fyddai'r cerydd hwnnw. O hyn ymlaen, câi gadw ffiltyrs ei rowlis yng ngolau'r dydd unrhyw le y dymunai, heb orfod dioddef edrychiadau twt-twtaidd ei rieni bob tro y deuent ar eu traws. Ar y staer. Ar lawr y tŷ bach. Fe gâi gadw ei gwpan coffi wrth ei ochr ar glustog y soffa pe dymunai, a chelai sarnu unrhyw ddiod a liciai ar ei garpedi ei hun.

Eisteddodd. Ystyriodd raddfa yr hyn a oedd ar fin digwydd iddo, a'r hyn a oedd yn digwydd i'w rieni yn ogystal. Bu'n ofalus iawn yn ystod yr wythnosau blaenorol i beidio ag ymddangos yn rhy gynhyrfus ynglŷn â'i ymadawiad, gan y gwyddai'n iawn mai bregus oedd y synau diffuant o gefnogaeth o enau ei fam a'i dad. Yn dra sydyn fe'u trawyd, ill dau, gan y sylweddoliad fod pethau am newid am byth, a'u bod hwythau, yn ddiymwad, ar gychwyn pennod nesaf eu bywydau. Cuddient ryw ing tawel, ac, er na fradychent eu pruddglwyf gerbron eu mab, sylwodd Huw ar ei dad, unwaith neu ddwy yn ystod yr haf hwnnw, yn eistedd ar ei ben ei hun, yn delwi ar y patio, a'i feddwl yn bell.

Nid ymwelai ei dad mor aml â'r tŷ newydd at ddibenion trwsio, mân adeiladu, adnewyddu ac addurno ag y buasai Huw wedi ei ddisgwyl gan unigolyn a oedd mor awyddus i wneud gwaith 'DIY' o gwmpas ei gartref ei hun, a phan âi yno, teimlai Huw mai di-sut iawn oedd ei ymdrechion. Nid peth arferol oedd hi i'w dad dreulio oriau wrth y dasg symlaf cyn cyhoeddi'n wangalon ei bod y tu hwnt i'w alluoedd; adnabu Huw ddyn llawer mwy adnoddedig na'r gŵr hwn, a phe byddai'n gwbl onest, roedd wedi disgwyl gwell ganddo. Ond heddiw, am y tro cyntaf, credai Huw ei fod yn deall symbyliad ei dad. Oedi yr oedd. Oedi, gan obeithio na fyddai'r tŷ yn barod i symud i mewn iddo mor gyflym ag a fwriedai ef. Nid oedd ei dad yn llusgo traed yn fwriadol, gwyddai Huw hynny, ond roedd ei gymhellion isymwybodol mor agos at yr wyneb fel eu bod yn gwbl amlwg. Nid oedd yn *gosod* rhwystrau yn ffordd ei fab, fel y cyfryw, ond nid oedd yn iro'r llwybr ar ei gyfer chwaith.

Edrychodd Huw o gwmpas ei ystafell unwaith eto am bethau i'w rhoi yn y bocs wrth ei draed. Roedd yno lun a brynodd yn Ikea ryw bum mlynedd ynghynt, un diddrwg-didda a diystyr, efelychiad anghelfydd o arddull Roy Lichtenstein yn dangos merch yn codi ei bys at ei gwefus fel petai'n hishtio'n waharddus. Ni chofiai Huw yn awr pam y'i prynodd. Rhywbeth cynhyrfus am y gwefusau cochion, siŵr o fod. Câi'r llun aros yn nhywyllwch ei gwpwrdd er mwyn i'w fam ei ddarganfod maes o law, a'i daflu.

Ar y llawr ger hen frest y simdde gorweddai matiau cwrw, wedi syrthio allan o'r ffrâm a'u cadwai yn eu casgliad unwaith ar y wal; pensil lliw yn cuddio, ymysg gwe'r pry cop, o dan y rheiddiadur; ei fat criced Gray Nicols yn pwyso bron yn anweledig y tu mewn i ddrws cilagored ei wardrob.

Cydiodd yng ngharn y bat a sylwodd fod y llawes rwber wedi dechrau crino a chracio wedi'r ychydig flynyddoedd o breswylio'n angof yng ngwres yr ystafell wely. Cododd Huw ar ei draed, a chyda'r arf yn ei ddwylo, dechreuodd ymarfer ambell siot o flaen y drych ar ddrws y wardrob. Edmygodd ef ei hun. Yna clywodd ar unwaith eiriau ei dad yn ei glust, yn ei gynghori i godi ei benelin, ac i chwarae'r bêl o dan ei lygaid. Camu allan i gwrdd â phits y bêl. Aros, am ba bynnag hyd a oedd yn rhaid, am y bêl wael i'w chosbi er mwyn sgorio. Yn y drych, ymatebodd Huw i bob cyfarwyddyd.

Yn ôl ei dad, roedd bywyd fel gêm o griced; rhaid oedd wrth ddisgyblaeth ac amynedd, ac achub yn llawn ar gyfleoedd prin. Daeth yn sydyn drosto, fel ton gynnes, y cofio am y troeon hynny pan âi yn grwtyn bach gyda'i frawd i wylio eu tad yn chwarae i dîm criced Rhydybedw, a'r tynnu coes ac ymffrostio chwareus a ddilynai'n ddi-ffael ar y ffordd adref yn y car. Cofiodd am ei dad hefyd, er gwaethaf ei bregethu diflino wrthynt i ymddwyn yn deg a bonheddig ym mhob sefyllfa, yn colli ei dymer â rhyw wrthwynebydd neu'i gilydd (weithiau â thimoedd cyfan), bron bob tro y chwaraeai griced. Fel y tro hwnnw y bu iddo gydio yng ngholer y dyfarnwr, a bygwth ei daflu i'r nant oherwydd dyfarniad *lbw* a oedd, ym marn ei dad, yn waeth nag amheus.

"Gwnewch fel y dywedaf, nid fel a wnaf," oedd hi y diwrnod hwnnw.

Rhoes Huw y bat criced yn y bocs.

Yn aml yn nyddiau ei blentyndod, cydymdeimlai Iwan, wrth eu gwylio drwy ffenestr ei ystafell wely yn Nhrerystrad, cartref ei febyd, â'r adar bychain hynny a helai'n ddewr am bryfed yn nannedd glawogydd yr haf, a synnu eu bod yn ddigon gwydn i beidio â gadael i'w hunain gael eu taro i'r ddaear gan ddiferion y storom. Yr adeg honno, teimlai mai ei gyfrifoldeb ef oedd gwarchod yr adar a ymwelai â'i gartref. Efe, rywsut, fyddai'n edrych ar eu hôl.

Yn feunyddiol, wrth ddychwelyd o'r ysgol, fe gâi hyrddiad o gyffro o weld yr heidiau tymhorol yn prysuro o gwmpas y landeri, ond nid oedd y sefyllfa at ddant pawb. Diawliai mam Iwan yr adar o hyd am fawa'n doreithiog ar y llawr o gwmpas, gan beri iddi sgwrio a brwsio unwaith neu ddwy bob dydd, a hynny wrth fytheirio pob math o ddial. Thalai Iwan yr un sylw i hefru ei fam, gan dybio'n sicr mai bygwth yn wag yr oedd. Yn ddiarwybod iddo, serch hynny, roedd 'na gynlluniau ar waith. Pan ddaeth Iwan yn ôl o'r ysgol ryw brynhawn o Orffennaf, darganfu fod bargod y tŷ bellach wedi ei amgáu gan rwyd neilon dynn, anhreiddiadwy. Wrth heidio'n swnllyd o gwmpas yr adeilad, ceisiai'r adar eu gorau glas i ganfod mynedfa i'w nythod – rhai ohonynt o hyd â llond eu cegau o bryfed, yn barod at fwydo eu rhai ifainc – ond ni lwyddwyd i ganfod yno'r un man gwan. Ymdrechai ambell un, wedi iddo ddarganfod mai lled feddal oedd y ffin a'i cadwai oddi wrth y cywion a'u llochesi, hedfan yn uniongyrchol i mewn i'r rhwyd, fel peilot Kamikaze. Ceisiai eraill grafu ac ebillio, gyda'u crafangau pitw a'u pigau gweinion, drwy'r plastig di-ildio, heb yr un gobaith o greu rhwyg neu dwll.

Ffyrnigent am oriau fel hyn, fel llu llwm o warchaewyr, am yn hir wedi iddi dywyllu gyda'r cyfnos. Y noson honno, cadwodd mam Iwan ei hun rhag helbul yr adar, ac ni ddewisodd wylio'r terfysg a bensaernïodd. Troes sain y teledu ychydig yn uwch, a chysgodd yn ddi-dor.

Pan ddeffrodd y bore wedyn, wedi noson effro, tystiodd Iwan i olygfa na fyddai modd iddo ei hanghofio fyth; degau o adar wedi eu maglu'n sownd yn y rhwyd. Roedd yna rai a oedd yn hanner marw, ac eraill a oedd wedi hen drigo, wedi eu llethu yn y we o edeifion neilon. Trwy'r dydd hwnnw, a'r dyddiau canlynol, cerddai oedolion y tŷ i mewn ac allan heb godi eu golygon i gyfeiriad y bondo. Gwyddent yn iawn am y gyflafan fu uwch eu pennau, ond gwell oedd peidio ag edrych. Nid âi'r un bod dynol ati i achub yr adar, na'u rhyddhau.

Pwdodd Iwan, mewn tarth o ddicter, am ddyddiau wedyn. Ymladdai â dagrau crac bob tro y canfu ei hun yng nghwmni ei fam; ni allai stumogi edrych arni, heb sôn am dorri gair â hi. Ffysiai hi o gwmpas ei gorchwylion, yn glanhau a golchi a mopio'r llawr, fel petai dim wedi digwydd, ac ni chydnabu dawedogrwydd ei mab, er y gwyddai'n iawn pam yr âi ef o gwmpas y tŷ mewn hwyl mor swrth. Ond, twt; onid oedd pethau pwysicach i gynhyrfu yn eu cylch? Roedd y crwtyn yn rhy sensitif. Rhaid iddo fagu ychydig o asgwrn cefn.

Rhaid oedd cadw lle glân.

Yn y dyddiau hynny daeth Iwan i ddeall ei fam. Yr hyn

a welai pobl oedd yr hyn a flaenorid ganddi; a phoenai o hyd ynglŷn â'r hyn y gallent fod yn ei ddweud amdani hi a'i theulu. Er bod y cwpwrdd o dan sinc a'r *tallboy* yn y llaethdy'n llawn blîts a pholis, Brasso, Vim, Flash, Dettol a'u tebyg, ac er bod y tŷ'n meddu ar sgleinder annaturiol a drewdod antiseptig, roedd yno yn Nhrerystrad ddigon o lwch o dan y carpedi, a digon o we'r corryn yn cuddio yn y llenni. O dan yr haenau o baent sgleiniog a roed ddwywaith yn flynyddol ar y gât ar ben yr heol, dim ond rhwd oedd yno. Ac er i furiau'r tŷ gael cotiad newydd o baent bob yn dair blynedd, meddai'r lle ar graciau sylweddol. Ymsuddiant. Adeiladwaith gwael. Yn amlach o lawer na'r angen, trefnai mam Iwan fod welydd ystafelloedd Trerystrad yn cael eu papuro, ond anochel fyddai gweld wedyn y papur adarog hwnnw'n codi a thywyllu oherwydd y lleithder. Meddyliai Iwan mai peth rhyfedd oedd bod ei fam mor awyddus i addurno ei chartref â phapur yn dangos adar egsotig yn eu gogoniant – paenau, colomennod, grugieir – tra oedd yn gwbl anoddefgar o'r adar cig-a-gwaed a ymdrechai i oroesi o'i chwmpas, heb geisio dim mwy na chreu cartref iddynt eu hunain.

Ymhen deufis roedd y rhwyd a'r adar meirwon oll wedi eu clirio o ardal y bondo, ynghyd â'r deg ar hugain o nythod fu'n addurno muriau y cartref. Fel *denouement* chwerw i bennod syfrdanol yn ei fywyd ifanc, gorfu i Iwan, ar orchymyn ei dad, ysgubo'r tarmac yn lân o'r llacs fu unwaith yn nythod; yn eu plith fân weddillion adar, wedi eu dysychu fel Pharoaid.

Fel pe baent wedi dysgu o'r cyrch yn eu herbyn, ni ddaeth yr adar mudol fyth yn ôl i adeiladu eu hafodydd yn Nhrerystrad, ond cofiai Iwan i'w fam wneud sylw, flynyddoedd yn ddiweddarach a hithau yn ei chanol oed hwyr, ei bod heb weld llawer o wenoliaid ar hyd y lle ers sawl haf. Anwybyddodd Iwan y sylw hwnnw.

Llofft fel anialwch. Ar wahân i ambell wrthrych yr oedd Huw wedi 'anghofio' ei bacio, roedd yr ystafell yn wag. Gwag, os nad glân; sylwodd Huw ar yr afliwio yn llurgunio'r carped yma ac acw. Staeniau coffi, te, lagyr. Ardal fechan o ddwyno lle pisodd Terwyn – y terier gwyn – pan oedd yn gi bach. Mân ardaloedd tywyll ym mhobman yn sgil ei ymdrechion annoeth i drwsio ei feic. Llosgiadau sigaréts yn geudyllau ar leuadlun ei lawr; difwyniadau plentyndod a llencyndod.

Gwyddai hefyd fod yno batsyn ger y ffenestr lle chwydodd unwaith, yn blentyn anwydog. Nid oedd fawr ddim ar ôl o'r chwydfa mewn gwirionedd, ond gwyddai Huw ei fod yno, a chofiodd ei ymdrechion i lanhau'r llanast, a hwnnw'n binc gan Ribena, cyn i'w fam ei weld. Cofiodd hefyd i'w fam ymateb i'r potsh o chwŷd, papur tŷ bach a swigod hylif golchi llestri trwy roi cwtsh o gysur i'w mab, ei weini â moddion a'i roi yn ei wely, wedi ei suo gan bresenoldeb anesthetig ei fam.

Siart gronolegol o'i blentyndod a'i lencyndod. Dyna oedd y carped. Gwenodd Huw wrth edrych arno. Brygowthai ei fam byth a beunydd fod angen ei godi a'i losgi oherwydd ei gyflwr cywilyddus, ac ni allai ei mab anghytuno â hi, ond oni fyddai hynny'n drueni? Byddai hynny'n gyfystyr â diddymu safle archeolegol hynod. Oni ddylid codi'r carped er mwyn ei drosglwyddo i Sain Ffagan?

Pesychodd. Clefyd y gwair. A sylwodd fod gan ei ystafell wely atsain. Clapiodd ei ddwylo unwaith neu ddwy. Unwaith eto, yr atseinio.

'A!' meddai. 'A!... A!... A!'

Arhosodd i'r adlais farw'n ddim, a theimlai ei lofft yn lle dieithr iddo. Roedd y gwagle wedi mynd yn amddifad ohono. Wedi iddo loetran am lawer hirach na'r angen, cydnabu Huw o'r diwedd ei bod hi'n bryd iddo fynd oddi yno, a chyda'r bocs olaf o dan ei fraich, croesodd, heb daflu golwg am yn ôl, y trothwy i'r landin a chaeodd ddrws ei lofft... y llofft... am y tro olaf.

Safodd yno'n craffu ar yr adeilad bach rhyfedd yn y bondo, a gwawriodd arno ymhen ychydig fod rhywbeth o'i le. Ddoe, sylwodd nad oedd yno'r pentwr arferol o faw o dan y nyth, y domen fechan a adfywiai ei hun yn wyrthiol ar y patio drwy gydol yr haf, ond feddyliodd ddim rhagor am hynny wrth basio heibio'n frysiog at ei orchwyl yn yr ardd; heddiw, roedd yn amlwg i Iwan fod yr adar wedi mynd. Mudandod yn lle trydar. Heddiw, roedd y distawrwydd yn fwy o aflafaredd nag y bu clebran cyson yr adar erioed. Ni thaflai'r un aderyn ei rythiad llygad-ddu yn ôl ato yn awr, a chwbl ddigynnwrf oedd ceg y nyth heb y prysurdeb a'i nodweddai ers misoedd. Swatiai'r bowlen fwd yn ogof wag.

Gobeithiai Iwan fod y pâr o adar, yn ystod eu preswyliad, wedi ei dderbyn fel bod rhadlon, fel un a oedd o'u plaid, ac fel un a fyddai'n cynnig lloches iddynt, byth bythoedd. Nid oedd Iwan am ddymchwel eu noddfa yn ystod cyfnod eu habsenoldeb; câi aros fel ystafell estynnol i'r tŷ tan iddynt ddychwelyd, fel arwydd o barodrwydd Iwan i'w croesawu yn ôl.

Ni fu'r adar yn denantiaid cwbl ddiffwdan yn ystod eu harhosiad chwaith. Baeddent lawr y decin bob dydd. Nid anrheg ddymunol oedd y parsel brithliw a laniodd ar blatiad salad un o gyfeillion Iwan a'i wraig un tro, er i hynny ennyn pwl afreolus o chwerthin gan Iwan ei hun. Ac, ar y cyfan, rhai stwrllyd oedd yr adar pan ddymunent fod; roedd eu hymgomio prysur – bron yn biwis – y tu allan i ffenestr eu hystafell wely bob bore'n ddigon o brawf ar ei amynedd. Sylweddolodd na fu iddo glywed yr adar wrth eu cecru boreol ers sawl diwrnod. Er gwaethaf eu haflafaredd, roedd yna rywbeth cysurus am sŵn y gwenoliaid; rhyw gysondeb yn ei fywyd ef a'i wraig yn y clebran cefndirol. O hyn ymlaen, byddai gwacter a thawelwch…

'Dad? Ti'n barod, 'te?' galwodd Huw o ddrws y gegin. Fe fu yno am dipyn yn gwylio'i dad yn synfyfyrio.

'Popeth yn y car 'da ti?' gofynnodd Iwan.

'Ody. Ma Mam wedi mynd â pheth stwff yn 'i char hi'n barod.'

'Ocê. Bydda i 'da ti nawr.'

Sicrhaodd Iwan ei fod yn taflu ei eiriau yn ôl dros ei ysgwydd. Nid oedd am i'w fab ei weld fel ag yr oedd yr eiliad honno, a'i lygaid yn gloywi. Fel glo tawdd. Diawliodd ei hun am ei ddiffyg hunanreolaeth, ond nid oedd dim a allai newid ei gyflwr. Bu'n ceisio ei orau yn yr wythnosau cynt i beidio â gadael i wacáu cynyddol ystafell wely ei fab godi rhyw blwc o hiraeth ynddo bob tro yr âi heibio i'r drws agored. Ar yr adegau hynny, teimlai Iwan yn ddi-ffael frathiad pinnau meinion yn ei frest. Brwydro emosiynau. Ni fedrai wneud fel arall. Fel hyn ydoedd.

Mae'n naturiol, dywedodd Iwan yn dawel wrtho'i hun. Mae'n naturiol, mae'n naturiol.

Greddf, dyna i gyd yw e.

Sodrodd ei edrychiad i gyfeiriad y caeau y tu hwnt i'r ardd, a syllodd heb weld. Trwy wneud hynny, llwyddodd i bwyllo ei hun. Teimlodd bresenoldeb Huw, a oedd yno o hyd yn ei gefn.

'Huw?'

'Ie, Dad.'

'Wy'n credu gaf fi ryw goffi bach cyn mynd. Os nag o's ots 'da ti, ontefe?'

Na. Roedd Huw'n fwy na bodlon i'w dad gymryd ei amser, iddo lusgo ei draed am un tro arall, a throdd yn ôl am y gegin er mwyn llenwi'r peiriant â rhagor o flawd coffi.

Arhosodd Iwan ar y patio am ennyd. Chwythodd – ochneidiodd – yn galed trwy wefusau crychion cyn mentro, gan wisgo'r peth agosaf at wên a fedrai ei gynnal, yn ôl i mewn i'r tŷ, y tŷ a fyddai'n meddu ar naws estron am amser hir.

Yn y cyfamser, yn isel ar draws y caeau, wedyn yn uchel fry yn yr awyr, fel bollt o drydan y daeth hi. Yn lasddu a sgleiniog, yn ddihual ac ysgafnfryd. Yn ochrgamu a chwyrlïo, yn gwibio a sgildro, yn troi a throelli. Yn ei hafiaith erobatig ehedodd y wennol i gyfeiriad y tŷ. Dynesodd at yr adeilad, a chan wyro'n bwrpasol fel petai ar linyn anweledig, bwriodd am y nyth. Yn reddfol, esgynnodd, fel y gwnaeth gannoedd o weithiau o'r blaen, tuag at dwndis agoriad ei hen loches, ac yna ymataliodd rhag mynd ymhellach, gan gyhwfan yno'n llonydd am rai curiadau byr. Syllodd i ddüwch ceg y nyth, ac yna diflannodd eto, yn isel a deheuig ar draws y caeau.

PORTH ELYSIWM

MAE'R CHWYS SYDD yn llifo oddi ar ei dalcen yn ei ddallu, ac mae ei ysgyfaint yn llosgi fel lafa Feswfiws. Ac i Liwcas, nid oes gwell teimlad i'w gael yn y byd. Nid oes gwell poen, na gwell dioddefaint, na phan fo'i frest ynghyn. A chyda phob dafn o chwys sy nawr yn diferu oddi ar ei gorff, mae Liwcas yn ymberffeithio. Mae'n gerflun marmor byw. Mae e bron yn dduw.

Mae'r ysfa i dynnu llun ohono'i hun yn ei drechu. Heb dorri ei gam na symud ei olygon o'r canolbwynt ryw fil o droedfeddi o'i flaen, mae'n codi ei ffôn o'r boced bwrpasol ar ochr consol y peiriant rhedeg, yn ddeheuig fel cowboi'n tynnu gwn o wain, ac mae'n tramwyo'r sgriniau nes cyrraedd y camera.

Clic. (Rhaid gosod y camera hyd braich er mwyn gwneud cyfiawnder â llawnder cyhyrog y torso).

Clic. (Rhaid dangos y dannedd wrth wenu. Beth oedd y pwynt gwario'r holl arian yna ar ddannedd newydd fel allweddellau piano os nad oedd pobl yn cael y cyfle i'w gweld? Mae ei fyddin o ddilynwyr yn haeddu hynny).

Clic. (Braidd yn aneglur oherwydd y rhedeg ond… Na, mae'n cyfleu'r symud, yr *ymdrech*. Neis).

Mae'n danfon y ffeiliau'n anrhegion i'r bydysawd digidol. Insta a Facebook. Y ffrydiau lluniau llonydd heddiw; bydd yn cyfrannu at ei gyfrifon fideo You Tube a TikTok yfory, oll yn rhan o bortffolio o wefannau 'Adonis'.

Mae Liwcas yn gosod ei ffôn yn ôl yn y boced ac yn aros i'r ffanffer seinio; ni all ddychmygu sesiwn yn y *gym* heb brofi'r gytgan o glychau, fel côr o geriwbiaid yn ei glodfori fel petai'n fuddugwr ar faes y gad. Neu'n ymladdwr mewn amffitheatr. Yn ei gyfarch fel petai'n gipiwr y goron lawryf. Dyna'r llun sydd ar ei fest ymarfer corff; cynllun *retro* o goron lawryf, wedi ei gynllunio yn null hen fosaic Rhufeinig, ac o dan y ddelwedd honno, y geiriau:

Victor Ludorum

MCMXCII

Ac mae Liwcas yn eu deall. Unwaith y flwyddyn mae'r rhifolyn o arwyddocâd mawr iddo, ac fe fydd wastad yn bencampwr y gemau, yn ddyrchafedig.

Wrth iddo aros i lanw'r edmygedd gyrraedd ei ffôn mae'n cadw ymlaen i bowndio'r heol i unman, ac mae'n syllu i sgleinder y drych maint llawn o'i flaen. Fe ŵyr, y tu hwnt i loywder y gwydr, a heibio i'w adlewyrchiad tryloyw ei hun, fod gris gyntaf y ddringfa i gopa Olympus yn aros amdano. Mae aroglau cynnes caeau Elysiwm i'w clywed yn gryf yno, ac maent yn llenwi ei ffroenau. Ac mae hynny'n dipyn o gamp trwy sawr y *baby oil* sy'n glwt dros ei gorff, ac sydd yn bygwth meddiannu ei synhwyrau i gyd. A'i synnwyr.

A dyma nhw'n dod, rif y gwlith. Y bodiau, y *likes* a'r *emojis*, y calonnau bychain yn wafftio'n freuddwydiol i ben y sgrin. A'r sylwadau wedyn.

'Neis wyn, boi. Ti'n edrych yn *totally ripped!*'

'OMG. Bod!'

'Go ffor it, Liwci. Amdani, *buddy*!'

'Amesin. mêt!'

'Ti'n lej, boi!'

'Lyfo'r tan, Liwc. Ibiza lwc owt!'

Ond mae Liwcas yn gwybod yn iawn nad yw Ibiza am ddigwydd eleni, am y tro cyntaf mewn wyth mlynedd. Eleni, ni fydd yn ymweld â'r ynys grasboeth, hedonistig honno ym Môr y Canoldir, ers pan gytunodd i fynd yno'n rhan o griw adunol o ffrindiau ysgol, ryw chwe blynedd ar ôl iddyn nhw adael Ysgol y Garn. Chwe blynedd wedi iddynt ymadael â'i gilydd fel criw o gydnabod, dyma nhw'n ailgynnau pethau. Doedd hynt a helynt yr un ohonyn nhw'n fawr o gyfrinach iddo, gan fod bywydau pawb i'w gweld ar dudalennau Facebook. Yn yr achos cyntaf, pan ddarllenodd y neges yn cynnig eu bod oll yn mynd ar wyliau i'r 'Med' rywle, nid oedd yn siŵr. Ond roedd pawb arall, yn ddieithriad, i'w weld yn frwd. Nid oedd Liwcas am ymddangos fel y ddafad frith yn eu plith, felly doedd dim amdani ond dilyn y ddiadell i'r haul.

Mae Liwcas yn powndio'r felin redeg. Mae'r chwys yn tasgu ac mae'n cael ei atgoffa o'r stecs fyddai'n llithro i lawr ei dalcen a'i wddwg bob tro y byddai'n disgyn oddi ar yr awyren i darmac tawdd maes awyr Eivissa, gan droi ei grys T, tyn fel haenen arall o groen, yn siwps. Mae llamu rhythmig ei redeg yn ei atgoffa o forthwylio nodau bas y gerddoriaeth a ddôi o ddrws pob clwb nos yn San Antonio; ac yn treiddio trwy'r dwndwr hwnnw byddai sain trychfilod y nos fel rhathellau yn y coedach. Roedd hi'n ynys yn llawn ceiliogod y rhedyn, aflafar a digywilydd, ac arferai Liwcas fod yn un ohonyn nhw am wythnos bob blwyddyn.

Ni all ildio i'r blinder sydd yn ei fygwth yn awr. Sylwodd yn gynharach ar gysgod rhyw erchyllbeth yn gorwedd dros ymyl trowser ei byjamas. Rhyw anfoesgarwch o getyn bola siglog i ddryllio ei ddydd. Ac o'r herwydd, mae'n rhaid iddo fflangellu ei hun ychydig yn waeth heddiw, ychydig yn galetach, ar y peiriannau yn ei *gym*. Mae'n gwybod bod rhaid gwaredu unrhyw afluniad, unrhyw fai, os yw am gadw ei hygrededd fel dylanwadwr ffitrwydd digidol. Mae unrhyw swpyn, unrhyw ymchwydd annymunol yn gorfod mynd.

Rhaid ei waredu.

Pwmpio. A rhwyfo. A rhedeg.

Rhaid ei waredu.

Ac, yn ei yrru ymlaen fel chwip, mae seiniau Ibiza'n llenwi ei ben. Trwy'r ffonau clust mae'n bwydo oddi ar y ffrwd ddiwifr o draciau *drum & bass,* a'r micsys o ganeuon yn llawn clapio electronig, a geiriau clapiog, gan DJs enwog clybiau'r ynys. Y miwsig yw'r gwynt yn ei hwyliau. Gyda'i lygaid ynghau, mae Liwcas yn cludo'i feddwl yn ôl i dref San Antonio, i'r tro cyntaf hwnnw iddo ei phrofi. Mae'n gweld ei hun hyd ei ysgwyddau mewn ewyn ar y llawr dawnsio, mewn llesmair. Ar y nosweithiau hynny, ni wyddai ble roedd rhannau ei gorff yntau'n gorffen, nac ychwaith ym mha le roedd cyrff ei gydbartïwyr yn dechrau; ond mae'n cofio i'r teimlad – o fod yn ddim mwy na chell fechan mewn un endid ecstatig – ei gyffroi i'r eithaf. Cofiai am sut y câi ambell eiliad o eglurder ar y nosweithiau hynny, a sylwi ar ei ffrindiau hefyd mewn cyflwr o berlewyg gwyllt, siamanaidd; yn achos Geth, yr amffetaminau a'i gyrrai. Bwtsi, y cocên. A Jebs, fel y fferyllydd yn eu plith, yn eu cyflenwi a'u bodloni.

Mae'n rhedeg a rhedeg, ac wrth gofio'r daith gyntaf honno i Ibiza, mae cam Liwcas yn cyflymu, ac mae'n offrymu'r botel ddŵr i'w wefusau; mae'r hel atgofion yn cyflwyno atsain rhithwir i'w dafod o Sangria... Jägerbomb... cwrw Sol. Ond nid yw'n ymwneud â'r rheiny y dyddiau hyn. Cofia ei arfer o godi am un o'r gloch bob prynhawn, gan amlaf mewn gwely dierth, a bwrw am y Bar Med yn ei siorts Draig Goch tyn a'i fflip-fflops, a haul byd arall yn crasu ei ysgwyddau noeth nes yr edrychent, pan ddeuai'n amser iddo hedfan adref, fel breichiau soffa ledr ei fam-gu.

Yn y Bar Med fe fyddai'n magu diogi ar ben stôl, yn nyrsio potel o lagyr a cheisio'n ddi-sut adfer ei sgiliau siarad wedi'r noson fawr flaenorol, a'i ben a'i glustiau'n bŵl gan seiniau'r clwb fel y teimlent eu bod yn llawn o wlân cotwm. Fel yna y byddai'r bois i gyd hefyd, yn ddywedwst dan benmaen mawr. Yna, câi fynd i orwedd ar y traeth yng nghwmni'r criw am weddill y diwrnod, yn coginio fel cebáb ac yn mwynhau'r ynys ryfedd yn ei noethni di-hid, a chyda'r nos, wedi iddynt rostio'n grimp ar dywodydd y *playa,* yn ôl wedyn i'r clybiau â nhw. Cofia Liwcas â gwên y prynhawn hwnnw pan ddaeth ef a'r bechgyn ar draws ryfeddodau traeth S'Arenal de San Antonio am y tro cyntaf, a sut y bu iddynt syrthio'n annodweddiadol fud wrth i'r byd amheuthun, cnawdol hwnnw ddatgelu ei hun iddynt. Eleni, fe fydd Liwcas yn gweld eisiau traethau poeth, difrycheulyd Ibiza.

'Diolch, *guys!*' mae Liwcas yn ateb y giwed o addolwyr gydag un sychiad o'r sgrin â blaen ei fys. Yn ei fest *Victor Ludorum*, mae'n ychwanegu emoji bawd i fyny at y neges grŵp, a'i ddanfon atynt hefyd.

Ar un adeg, nid oedd Liwcas yn hoff o'r gair *guys*. Na *buddy.* Ond mae'n eu defnyddio yn awr. Yn aml. Mae'n eu defnyddio rhag ofn i'r *guys* sy'n gyfeillion iddo ar Facebook ac Instagram gael eu temtio i beidio â bod yn *buddies* iddo rhagor, oherwydd eu bod wedi gwyntio rhyw dawch o arwahanrwydd arno, y tu hwnt i ddrewdod y *baby oil.*

Mewn gwely yn yr ysbyty, mae Erin yn brwydro am ei hanadl, a'i brest yn wenfflam. Nid yw hi erioed wedi profi poen tebyg. Teimla fod ei hysgyfaint yn llawn draen, a'i phibellau aer – ei llwnc a'i chorn gwddwg – mor amrwd â chnawd dan wres haearn serio. Yn ddiweddar, cyn i'r cwmwl o anymwybyddiaeth ei llethu, bu'n ceryddu ei hun yn dawel am beidio â gwneud mwy i gadw'n ddiogel, i gadw'n holliach. Fe ddylai fod wedi sicrhau nad aeth i'r llefydd y bu yn ystod yr wythnosau blaenorol, a dylai fod wedi osgoi dod i gysylltiad â'r bobl y bu yn eu cwmni. Ond mae'n rhy hwyr i feddwl fel hynny yn awr.

Mae ganddi fwgwd o blastig tryloyw dros ei hwyneb, yn cludo ffrwd achubol o ocsigen, a nodwyddau'n trywanu ei chorff yma a thraw. Yn sownd wrth y nodwyddau hynny y mae tiwbiau, er mwyn ei hydradu. Mae yna hefyd electrodau gludiog yn frith drosti, yn trosglwyddo ei harwyddion bywydol ar hyd y gwewaith o wifrennau at y sgrin ar erchwyn ei gwely, a'r sgrin honno'n ddarlun o donnau symudol – eu brigau a'u cafnau'n ddistylliad o Erin yn ei chyflwr presennol. Yn gorwedd ar gonsol o dan y sgrin mae ei ffôn, y batri wedi hen ddiffodd. Yn erbyn gwynder antiseptig y troli sy'n cynnal y sgrin a'r offer monitro, ac yn erbyn difrifoldeb y ward, mae'r ffôn yn ymddangos yn ddibwys. Yn ddistadl a gwamal.

Pan ddychwelodd Erin adref i dŷ ei mam yn Ninbych chwe diwrnod yn ôl, roedd yn barod wedi mynd i deimlo'n anhwylus. Ond nid ei llwnc craflyd, na'r gwlith o dwymyn ar ei thalcen oedd yn pwyso ar ei meddwl yn ystod y daith o Gaerdydd.

Wrth iddi yrru heibio i'r nadroedd o geir oedd wedi parcio ar y naill ochr a'r llall i'r A470 ger Storey Arms y diwrnod hwnnw, medrai lunio'n fyw, heb eu gweld, y ciw o gerddwyr yn aros, fel merlod mynydd diamynedd, am eu tro i esgyn i'r copa. Oll yn cnoi ar eu genfâu er mwyn caffael eu hawr o antura. Cafodd ei hatgoffa am y tro yr aeth hi yno gyda'i chariad, dim ond i ymuno â rhesaid hir o gerddwyr, a sut y suddodd ei chalon pan welodd pa mor ddof a hawdd ei gaffael yr oedd y byd naturiol wedi mynd. Fel un a arferai fynd weithiau yn nyddiau ei hieuenctid i gerdded moelydd gwag Clwyd yng nghwmni ei mam a'i thad, ni theimlai y diwrnod hwnnw fod cyfrannu at y ddynoliaeth gywasgedig, mewn man fu unwaith mor waharddus, yn weddus.

Bu bron iddi gynnig y dylent fynd i rywle arall i dreulio eu prynhawn, ond gwelai fod ei sboner yn frwd dros fynd i'r afael â'r ddringfa, ac wedi iddynt gyrraedd eu cyrchfan, drybowndiodd Liwcas allan o'r cerbyd. Cofiai Erin sut y sbonciodd yn ei gynnwrf o gwmpas y bŵt wrth iddo dynnu ei esgidiau dringo am ei draed, gan chwythu canu rhyw drac dawns yr oedd newydd fod yn gwrando arno ar y siwrnai yno; daeth llun o'r cymeriad Tigger yn barod iawn i'w meddwl. Nid oedd Erin am roi pin yn swigen ei frwdfrydedd y prynhawn hwnnw.

Yn ei hanfod, dyna a gawsai hi mor anwrthodadwy amdano, ei fod mor frwdfrydig, mor barod ei ffordd. Fel ci bach yn cwrso pêl. Adnabyddai hi ddigon o fois a feddai ar eu cyfran o sirioldeb, boed sicr, ond roedd gan Liwcas ryw afiaith heintus a oedd yn ei feddiannu'n llwyr. Ei meddiannu hithau hefyd. Hwyrach y defnyddiai'r *joie de vivre* hwnnw fel masg i guddio y tu ôl iddo weithiau, gwyddai Erin hynny, ond roedd yn meddu ar lawenydd na allai hi ond cynhesu iddo. Roedd yn gwneud iddi chwerthin. Roedd hynny'n ddigon. Ac fe welsai ryw ddyfnder ynddo hefyd, fel pwll o bersonoliaeth gyfrin mewn groto oedd wedi ei rannol guddio rhag yr haul; cofiodd sut y gobeithiai y câi ganiatâd ganddo i blymio i'r pwll hwnnw ymhen amser a dod i adnabod Liwcas yn ei lawnder.

Camodd Erin allan o'r car gan blannu cusan chwareus ar dalcen ei chariad, ychydig o dan gantel ei gap pêl-fas a floeddiai'r gair 'Adonis'. Aeth y ddau wedyn i fforio'r gwylltiroedd, yng nghwmni'r cannoedd, er y bu'n rhaid i Erin droi'n ôl wedi i'r ddringfa brofi'n ormod i'w brest. Aeth i eistedd yn y car yng nghwmni ei phwmp asthma a'i chopi o'r polisi disgyblu newydd ar gyfer ysgolion uwchradd y Cyngor Sir, wrth i Liwcas fwrw ymlaen â'i orchwyl a'i sgrepan yn llawn o falast trwm ar ei gefn; ni fyddai'n dychwelyd i'r cerbyd nes ei fod wedi cwrdd â'r duwiau ar gopa Olympus.

Ar gyrion Llanfair-ym-Muallt, cododd Erin ei ffôn o'r ceudod ger y gerstic, a gweld bod y sgrin yn wag o hyd; ni wyddai a ddylai deimlo'n siomedig ai peidio. Bu'n ddeuddydd, a dim neges. Dim tecst. Dim byd. Doedd dim i'w weld o hyd ar sgrin ei mobeil, ond am y llun a wasanaethai fel 'papur wal'; y ddelwedd ohoni hi a Liwcas, a dynnwyd mewn bistro yn San Antonio flwyddyn ynghynt. Yn y llun, mae Liwcas yn gwisgo pâr o gregyn gwag o weddillion ei *Paella* fel tlysau ar ei glustiau, wrth iddo daflu ei *trout pout* gorau tuag at y lens. Wrth ei ochr mae Erin, yn tagu chwerthin ac yn ei hwyliau gorau, gyda hiwmor bachgennaidd ei sboner yn ei swyno. Rywsut, ni welai'r llun hwnnw'n un doniol rhagor. Teimlai ei bod yn colli adnabyddiaeth ar y bobl a bortrëir ynddo. Yn sicr, nid oedd Liwcas yr un ag yr oedd flwyddyn yn ôl; teimlai hi fod yr hiwmor chwareus a feddai ei chariad wedi diflannu wrth i lwyddiant ei fusnes rhithwir – a'i *physique* – dyfu. Ac wrth i Jebs dalu ei ymweliadau mynych ag ef.

Rhoddodd Erin y ffôn yn ôl yn y geufa. Wrth yrru trwy Pant ychydig wedyn, a Chroesoswallt ar y gorwel, dechreuodd deimlo'n waeth. Teimlai ei phesychiadau fel chwaon o ffwrnais, a medrai weld yn ei drych y chwys, a fu tan hynny'n gorwedd yn berlau ufudd ar ei thalcen, yn awr yn rhedeg i lawr ymylon ei bochau. Gydag atgofion am Liwcas ac Ibiza'n berwi yn ei phen ers milltiroedd, ni allai fod yn sicr ai ei hatgofion neu'r salwch oedd yn achosi ei thwymyn. Pan welodd arwyddion Coedpoeth ymhen ychydig, fe wyddai nad oedd ymhell o gartref ei mebyd yn Ninbych. Coed *poeth*; dechreuodd feddwl bod y ddaear gyfan, y creigiau a'r cymylau a'r *coed*, hyd yn oed, yn dioddef o'r cryd hefyd. Cododd ei phwmp asthma glas at ei cheg a'i wasgu'n galed â'i bawd ryw ddwywaith neu dair, ond ni chafodd fawr o ryddhad ganddo.

Awr neu ddwy ar ôl iddi gyrraedd adref i Ddinbych, profodd ychydig o wellhad. Adferiad bach yn ei hwyliau. Meddyliodd mai hinsawdd iachach y gogledd oedd i gyfrif am hynny. Sgwrsiodd â'i mam dros gwpanaid o goffi, a dechreuodd deimlo cynefindra cysurus yn dychwelyd i'w mwytho, a rhoddodd hynny ryw flas i Erin ar y llonyddwch meddwl yr oedd ei angen arni er mwyn ceisio gwneud synnwyr o'r cweryl a gafodd gyda Liwcas, y ffrwydrad o deimladau a geiriau a barodd iddi gasglu ei phethau ac encilio tua'r gogledd. Ddywedodd Erin ddim byd am hyn wrth ei mam. Fu honno erioed yn or-hoff ohono.

'Ceiliog bach' oedd sut y'i disgrifiai ers iddi ei gyfarfod

am y tro cyntaf hwnnw mewn cyflwyniad ffurfiol a drefnwyd gan Erin a Liwcas. Mynnai Liwcas eu bod yn cwrdd yng nghlwb Pryzm yn y brifddinas. 'Dallt dim ar y hogia rygbi a wêts 'ma,' oedd ei sylw ar y pryd. Derbyniai Erin mai un a oedd yn perthyn i'w chenhedlaeth oedd ei mam. A sylweddolai''r fam hefyd nad oedd dal pen rheswm â chariad. Atyniad oedd atyniad, ta waeth mor guddiedig y rheswm drosto. Roedd Elin wedi gweld rhywbeth i'w garu ynddo, a dim ond hyhi a wyddai beth.

Gyda'r cyfnos, ceisiodd Erin fynd am dro ar hyd y dref, er gwaethaf protestiadau ei mam na ddylai wneud. Roedd honno wedi clywed y siarad ar y teledu am y *lock-down* anochel a'r 'hunan-ynysu', ond roedd angen llonydd ar Erin. Oedd, roedd hi hefyd yn ymwybodol o'r pethau yna, ond rhaid iddi gael ei meddwl mewn trefn.

O'r braidd y sylwodd ar wacter ei thref wrth i'w brest wichian pan gerddai. Pesychai o hyd, rhyw besychiad cras a wnâi iddi swnio fel egsost hen gar yn tanio am yn ôl. Diawliodd ei hannwyd. Ond er gwaethaf ei bwriad i glirio'i phen gyda wâc sionc, ni allai fynd lawer ymhellach na'r amgueddfa ar Lôn Goch, lle stopiodd i bwyso yn erbyn cerrig llwydion wal y maes parcio er mwyn ceisio cael ei gwynt yn ôl ati. Gyda'i phwmp asthma mewn un llaw, defnyddiodd y llall i ddod â'i ffôn yn fyw. Craffodd Erin ar y sgrin, gan wybod na fyddai yno'r un neges gan Liwcas. Ac wrth iddi syllu eto ar y llun ohonyn nhw yng ngwawrddydd eu carwriaeth, syrthiodd dafn poeth o chwys oddi ar ei thalcen gan sblasio ar ben ei hwyneb digidol, a phlygu'r picselau gan beri iddi edrych yn rhyfedd, fel petai wedi ei llurgunio mewn drych gwyrgam.

Dechreuodd Erin deimlo ei chalon yn carlamu yn ei brest, a'r diffyg anadl yn gwasgu eto'n waeth. Gwyddai'n iawn na fyddai'n medru cerdded yn ôl i'r tŷ. Gwasgodd fotwm ei ffôn, ac ymddangosodd rhif ei mam, yn goron ar ben cadwyn hir ailymadroddgar o rifau, a'r rheiny ar frig y rhestr o'r rhai a ffoniwyd ganddi'n ddiweddar. Llwyddodd i wasgu *call* cyn i'r düwch ei meddiannu…

Yn ei gwely yn yr ysbyty, mae Erin wedi ei hamgylchynu gan greaduriaid hynod. Edrychant fel angylion gwyrdd mewn mygydau, ond nid yw hi'n ymwybodol ohonynt. Ar erchwyn ei gwely mae 'na beiriant ychwanegol, a sgrin newydd. Sgrin sy'n dangos llun digidol o'r tu mewn i'w hysgyfaint, a chyda phob ysgubiad gan law un o'r angylion blaenllaw, mae'r llun o organau briwedig Erin yn newid hefyd. Y tu ôl i'w amddiffynfa o blastig clir, mae llygaid blinedig yr angel hwnnw'n dadansoddi'r delweddau o deithi mewnol ei glaf. Cwympa ei ysgwyddau, ond nid yw'n troi i wynebu'r angylion eraill, sydd wedi bod yn ei wylio ac sydd yn awr yn disgwyl clywed yr hyn sydd ganddo i'w ddweud am gyflwr y claf.

Eistedda Liwcas ar ledr ffug gwlyb y fainc codi pwysau. Mae'n wynebu'r drych, ac yn edmygu'r chwys sydd yn dianc ar hyd ei gorff. Mae'r hylif hallt yn ymlwybro dros dirlun efydd ei gyhyrau, fel y gwna'r Rubicon a'r Po yn eu dyffrynnoedd. A'r Tiber hefyd, ar ei gorymdaith i fôr twym y 'Med'. Ei annwyl Med a'i haul, a'i draethau wedi eu gwneud o aur, a hwnnw wedi ei falu'n flawd.

Gwêl Liwcas y pyllau o chwys sydd wedi cronni o gwmpas ei dreinyrs, a'r gloywder ar ei goesau di-flewyn, sgleiniog fel cleddyfau. O'r diwedd, teimla'n fodlon gyda'i ymdrechion.

Mae Persews newydd ladd y Medwsa.

Mae Liwcas bron yn dduw.

Mae'r sesiwn ymarfer ar ben am heddiw.

Wedi ymlâdd, mae Liwcas yn anadlu'n galed trwy ei geg, gan ei fod yn hoffi'r sŵn. Sŵn ymdrech.

Mae'n cydio yn ei ffôn â'i ddwylo llithrig, gan wybod bod yn rhaid iddo wynebu ei sefyllfa. Ddyddiau yn ôl, fe wnaeth Erin ei adael e. Ddyddiau yn ôl, fe ddywedodd bethau annymunol wrthi. Pethau brwnt.

'*For fuck sakes*, Erin!... O's rhaid iti fynd mlân ambytu Jebs o hyd? Ma'r boi yn fêt, myn! Meinda dy fusnes!'

Yr oedd wedi gweiddi arni, ac yng ngwres yr eiliad fe deimlodd ei ddyrnau'n caledu, fel pe bai ei ddwylo'n cau am garnau cleddyfau. Ac fe welodd Erin hynny.

'Cym on, Ers... Fysen i *byth* wedi rhoi dolur iti, ti'n gwbod hynny!' gwaeddodd ar ei hôl...

Mae dwyn y digwyddiad hwnnw yn ôl i'r cof yn achosi i Liwcas deimlo cywilydd. Yn ddiarwybod iddo, mae'n gwneud rhyw rythiad ysgyrnog o embaras, gan ddinoethi ei ddannedd. Ac yna, mae'n sgyrnygu eto, oherwydd ei fod newydd sylwi ar wychder ei berlau Americanaidd yn un o ddrychau'r *gym*, yn goleuo gwyll Sbartaidd yr hen garej fel ffagl.

Mae gweld gwynder ei ddannedd yn adlewyrchu yn ôl ato yn gwneud iddo gofio am y tro cyntaf iddo weld Erin, yn dawnsio yn ei ffrog groendyn o dan oleuadau uwch-fioled clwb Eden, a'r goleuadau hynny'n peri iddi dywynnu'n annaearol, fel ysbryd. Fel ysbryd mewn gwynfyd di-hid. I Liwcas, tywynnai Erin yn hudolus, gan ei atynnu fel seiren at y creigiau geirwon. Drylliwyd Liwcas yn y fan a'r lle.

Ond roedd hynny flwyddyn yn ôl, ac i Liwcas mae ffosfforedd yr eiliad honno wedi pylu.

Bodia Liwcas sgrin ei ffôn yn amhendant. Yna, mae'n sgrolio trwy'r negeseuon a ddanfonwyd ganddo yn ddiweddar. Ar wahân i'r rhai arferol yn brolio ei orchestion i'w *buddies*, mae yno dair i Erin; un wedi ei danfon neithiwr, a dwy yn gynharach y bore 'ma. Mae'n eu darllen, gan amau eu cywair yn awr.

'Gobithio bo ti'n ocê. Tecsta fi.'

Swrth. Cwta.

'Angen siarad.'

Oeraidd. Diamynedd.

'Wedi bod yn meddwl lot am beth ddigwyddodd. Ni angen trafod. Gobitho bo ti'n ocê.'

Rhy swci, efallai.

Sylwa nad yw wedi gadael ei enw anwes ar gynffon yr un neges. Ond doedd dim angen gwneud hynny, oherwydd byddai hwnnw wedi fflachio fel hysbyseb ar sgrin Erin.

'Adonis.'

Mae ei fys yn hofran uwchben gwydr y ffôn, a theimla Liwcas yr ysfa i ddanfon neges arall, ond ni ddaw'r geiriau iddo. Mae'n penderfynu mai gadael iddi *hi* ymateb sydd orau nawr, yn lle ei fychanu ei hun trwy ddanfon neges ddiangen. Mae'n rhoi'r ffôn i orwedd ar ddarn sych o sedd y fainc codi pwysau.

Daw ail wynt drosto, fel awel yn siffrwd o fryn y Capitoline. Mae Liwcas yn neidio yn ôl ar ei draed, yn sionc eto; mae wedi adfywio ar ôl ei saib. Mae'n cydio yn ei botel wag o ddŵr ac yn ei lansio fel gwaywffon ar draws y *gym* i grombil y bin sbwriel. Yn araf bach, mae'r felin redeg yn dechrau cyflymu o dan ei draed. Mae Liwcas yn gwenu o weld y gladiator yn y drych.

Fe fydd Erin yn ei ffonio cyn bo hir, meddylia iddo'i hun.

Yn ei thŷ yn Ninbych, mae mam Erin yn eistedd yn dawel yn y lolfa. Mae'n ceisio dod i delerau. Mewn cwdyn plastig ar y bwrdd coffi mae ychydig o ddillad glân ei merch a phwmp asthma glas. Mae yno hefyd ffôn ac arni dair neges a gyrhaeddodd gyda'r hwyr neithiwr, negeseuon heb eu hagor. A'r unig beth sydd yn flaenoriaeth iddi yr eiliad hon yw sut i dorri'r newyddion i'r Ceiliog Bach. Sut i ddweud wrth y Narsisws yn y de.

DRWS TOMOS BEYNON

DELWODD AM EILIAD, gydag awel traed y meirw'n siffrwd yn dawel drosto o'r tu fas. Yna, craffodd William ar y colfachau pres, heb na gaing na thyrnsgriw na morthwyl yn ei law. Fel hyn y bwriai ef iddi bob tro, gan werthuso union ofynion y gwaith cyn hyd yn oed ystyried agor y gist bren a oedd yn gartref diymhongar i'w daclau saer, taclau a fu unwaith mor weithgar yn nwylo ei dad. Ni châi William gyfle'n aml i fynd i'r afael â gwaith coed rhagor. Cydiodd ym mwlyn oer drws y parlwr, gan agor a chau'r ddôr lacrog dro ar ôl tro. Ni chlywodd ef yr un wich o brotest yn dod o gyfeiriad y colfachau, er y bu'r drws yn ei le ers blynyddoedd lawer, ac amneidiodd William ei longyfarchiadau distaw ar hyd y degawdau i'r crefftwr a roddasai'r drws yn ei le.

Ni allai William weld unrhyw fai amlwg. Gweithiodd o gyfeiriad y cyntedd drafftiog, am nad oedd am fynd ati o'r ochr arall, gan y golygai hynny y byddai'n troi ei gefn ar ofod y parlwr. Caeodd y drws eto'n glats, gan sicrhau nad edrychai yn rhy aml i berfeddion yr ystafell tu hwnt. Clywodd dafod y glicied yn cydio'n gysurus yn y ffrâm, gan atseinio fel clec reiffl ar hyd y llawr teils cwarel.

Rhoddodd ysgydwad egr neu ddau eto i'r bwlyn er mwyn profi bod y drws a'r ffrâm yn ddi-ildio wrth gysylltu â'i gilydd. Roeddent yn sownd, fel ci a gast yn anterth eu gwres, ac ni allai William eu gwahanu heb ei fod yn troi'r bwlyn yn fwriadol. Cododd ei gap stabl a chrafodd ei ben trwy'r gwallt a oedd wedi dechrau teneuo. Ochneidiodd yn ddiamynedd, am na lwyddodd i fynd i waelod y dirgelwch, ac roedd hynny'n dân ar ei groen. Astudiodd y drws unwaith eto, ac yna cyfeiriodd ei olwg i lawr at y blwch taclau; ni welai'r cetyn saer ddiben mynd i chwilmentan yn hwnnw. Cerddodd oddi yno'n frysiog, gan ddisgwyl clywed y tu ôl iddo unrhyw eiliad – fel petai'n aros am daranfollt – sŵn y gliced yn agor eto.

Yn y gegin, roedd Lisa eisoes wedi arllwys te o'r tebot lystar. Cyflwynodd ei ddiod iddo mewn cwpan a soser Willow Pattern, er taw dydd Sadwrn oedd hi.

'Ddethoch chi i ben â hi, 'te?' holodd Lisa.

'Ffaeles i weld unrhyw beth yn bod 'no fe,' atebodd yntau.

Gan dynnu ei gap, eisteddodd William yn y gadair fawr ar ben uchaf bwrdd hir cegin Penallt, am y tro cyntaf ers dyddiau ei blentyndod pan y gwnâi hynny'n ddi-hid. Cadair ei dad ydoedd. Ysgwyd ei phen yn dawel a wnaeth Lisa wrth arllwys llaeth i gwpanaid te ei brawd. Roedd y jwg fel tlws yn ei llaw.

'Wel, 'wy ddim yn deall y peth,' meddai hi, 'dyw'r drws 'na erio'd wedi cambihafio fel hyn o'r bla'n.'

'Sdim golwg 'i fod e 'di chwyddo rhyw lawer whaith,'

ychwanegodd William. Bu'r Nadolig yn oer a thamaid yn wlyb.

Sylwodd William ar ei chwaer yn troi ei phen i edrych trwy ffenest y gegin ar yr ardd. Pan fyddai yn ei gogoniant hafaidd, nid oedd gwell i'w chael ym mhlwyf Sant Ismael. Bob blwyddyn, sicrhâi Lisa fod cyffiniau'r tŷ yn pyngo gan flodau o bob lliw a maint, yn amgylchedd persawrus llawn rhosod, pys pêr, goldau a ffionau. Pan âi i ganol y cidnabêns, y pys pêr a'r hocys yn eu hanterth, edrychai'r hen ferch hon, a'i phen a oedd ychydig yn fawr ar ei hysgwyddau, fel blodyn haul rhuddgoch, er na allai wenu cystal â'r lleill. Ac er taw gorchwyl swta ei brodyr oedd tendio i'r llysiau, Lisa oedd yr un a welai fod angen harddu eu byd. Prin y gwelai'r bechgyn yr angen.

Digon llwm oedd hi yno heddiw. Gyda'r gwelyau'n wag, nid oedd yn fwy na thirlun hiraethog.

'Ble ma John, 'te?' gofynnodd William gan ddrillian ei de'n stwrllyd.

'Yn y pentre rywle,' atebodd hi'n ddifater.

'Mor fore â hyn?'

Roedd John wastad yn y pentre. Gan wfftio, chwistrellodd William niwlen o de ar hyd y ford. Gwyddai nad oedd ei frawd hŷn yn absennol oherwydd ei fod ar ryw neges rinweddog. Dechreuodd deimlo'n fwy cysurus yn y gadair, a sychodd y ford â llawes ei siaced frethyn. Ym Mhenallt, roeddent wedi dod i arfer â disgwyl dychweliad chwibanllyd eu brawd o Lansaint yn hwyr bob nos Sadwrn. Dywedai Lisa'n fynych pe buasai cannoedd o loi pasgedig ganddynt ar fferm Penallt, na fyddai'r un ar ôl yn awr. Barnent ei brawd o hyd, y sanhedrin teuluol hwn.

Gweddol analluog oedd William wrth gynnal unrhyw farn gytbwys am neb na dim rhagor, ac ni welai lawer yn wrthrychol. Roedd ei sylw'n bell, ac yntau newydd gael ei rwydo gan y 'conscripsiwn', ac ni allai feddwl am fawr ddim arall. Gwelai fyd ei febyd fel ped edrychai drwy lygaid ymwelydd, a phob dim wedi colli unrhyw ymdeimlad o barhad iddo, gan y gwyddai y byddai'n ffeirio pridd coch a diogel Bae Caerfyrddin am lacs y ffosydd cyn bo hir.

'Shwd hwyl sy arni 'ddi heddi?' holodd William, gan amneidio tua'r nenfwd.

Mewn gwely yn y llofft uwchben y gegin, arhosai eu mam i orffen ei thro ar y ddaear. Fel y bwrdd ymolchi marmor, y pot piso blodeuog a'r gwely pres, bu Catherine Beynon yn nodwedd barhaol yn ei hystafell wely ers ychydig llai na blwyddyn, wedi iddi encilio i'w nyth mewn pwl o anobaith. Ac yno y bu wedyn, yn dibynnu ar Lisa i'w bwydo a glanhau ar ei hôl. Bu dirywiad mawr yn ei hwyliau a'i hiechyd yn ddiweddar. Edwiniad. Edrychai'r hen wraig, yn ei gŵn nos, mor fach yn ei chynefin, fel llygoden welw mewn padell o wyngalch. Yn aml fe'i clywid gan ei theulu yn y gegin islaw yn grwgnach ac yn wylo yn ei chystudd. A phe clywai Catherine Beynon ychydig gormod o lawenydd teuluol yn treiddio i fyny trwy estyll y llawr, gwnâi'n siŵr ei bod yn griddfan ychydig yn uwch, ychydig yn fwy dirdynnol. Dim ond sŵn llwyau te a sgwrsio tawel oedd i'w clywed o gyfeiriad y gegin heddiw, a chwynai Catherine ond yn ysbeidiol. Yn ddistaw wrthi hi ei hun, dechreuodd adrodd enw Tomos ei gŵr drosodd a throsodd.

'Sa i'n lico 'i golwg hi heddi, Wili,' ebe Lisa yn y gegin. 'Ma 'na rywbeth *ambytu* 'ddi heddi...'

Crymodd hi ei cheg yn bedol ben i waered, ac ysgydwodd ei phen eto. Roedd Lisa'n un a welai'r wawr fel cam yn nes at y machlud. Os clywai hi am rywun yn dioddef o fân salwch, yna nid oedd dod i'r trueiniad hwnnw. Âi ar drywydd ei gorchwylion wrth dwt-twtian yn dawel. Ystyriai William ei chwaer, a oedd bron i ugain mlynedd yn hŷn nag ef, fel rhywun a oedd yn perthyn i genhedlaeth arall; os nad yr un genhedlaeth â'i rieni, rhyw *hanner* cenhedlaeth ymaith efallai, fel yr hanner nodau rhyfedd hynny yn y raddfa *solfa* yr arferai eu canu yn Nhabor, neu allweddellau duon yr harmoniwm yno.

'Pa'ch â becso,' meddai William, 'ma digon o ffeit ar ôl yndi 'ddi.' Ond crymu a wnaeth y bedol eto.

Ddau ddiwrnod ynghynt, ar y nawfed ar hugain o Ragfyr, bu farw Tomos Beynon, eu tad. Brin bythefnos cyn dydd ei drengi, bu'r hen ŵr wrthi'n cyflawni'r hynny o ddyletswyddau ag a fedrai yn ei henaint; porthi'r lloi â gwair, a'u cyflenwi â gwely o'r rhedyn crin a fedwyd, rywbryd yn ystod ei anghofiant, o ffiniau parciau uchaf Penallt. Yn wargrwm gan wynegon, âi ati â breichiau llesg i daenu'r dail browngoch dan garnau chwareus y treisiedi, ac yn aml y câi ef ei ergydio i lawr y lloc ganddynt. A dyna Tomos Beynon yn penderfynu'r diwrnod hwnnw, ac yntau'n stryffaglu i godi yn ôl ar ei draed â gwewyr ei dostrwydd yn curo yn ei gorff, mai digon oedd digon. Nid oedd diben i'r un dim â wnâi ef rhagor. Nid oedd diben i unrhyw beth.

Y noson honno, ar ôl iddo esgyn i'r llofft gan lusgo'i hun yn araf ar hyd canllaw'r staer dreuliedig gan ddwylo'r oesoedd, aeth Tomos Beynon ati i ddiosg ei ddillad a gwisgo ei ŵn nos. Eisteddodd am eiliad ar erchwyn y gwely, yn rhythu ar wyneb gwelw, gwglyd ei wraig. Esgus cysgu yr oedd Catherine, a chyda phob anadliad allan, gollyngai fewiad hunandosturiol er mwyn sicrhau y gwyddai pawb ei bod hi o hyd yn ei dioddefaint. Gwenodd Tomos yn dyner arni, cyn gosod cusan farfog ar ei thalcen. Wrth dderbyn yr arwydd hwnnw o gariad, grwgnachodd Catherine Beynon ychydig yn fwy taer, ychydig yn fwy cwynfanllyd. Am y tro cyntaf mewn hanner can mlynedd o briodas rhwng pâr a ddotiasai ar ei gilydd, penderfynodd Tomos mai cysgu ar wahân i'w wraig fyddai orau heno. Cododd a throdd yn araf i gyfeiriad y drws.

Yna, ddau ddiwrnod yn ôl, profodd Tomos Beynon ddiwedd ei ddyddiau ar ei ben ei hun yn y gwely sbâr. Hunodd ag un fraich denau'n crogi dros ymyl y gwely, a'r llall yn cofleidio'r Beibl teuluol lledrog ar ei frest. Barn y doctor oedd, er gwaethaf cyflwr gwaelodol hirsefydlog y claf, mai prinder anadl a'i lladdodd yn y pen draw.

'Well i fi roi'r tacle 'na gadw, 'te,' dywedodd William wrth godi.

Poerodd ychydig o'r dail te styfnig a fu'n glynu wrth ei

ddannedd ar gefn ei law, cyn eu sychu oddi yno ar liain llestri wrth iddo adael y gegin. Gadawodd ei chwaer yn eistedd yn ei phriodle wrth y ford, mewn cwmwl o ofid a mwg tybaco o bibell ei brawd.

Pan gyrhaeddodd William y cyntedd a oedd yn rhannu'r gegin wrth y parlwr, stopiodd yn stond. Teimlodd flewiach ei wegil yn cynhyrfu, fel petai byddin o forgrug ar gyrch ar hyd ei groen. Roedd y drws trafferthus ar agor eto. Meddai ar yr un lled bwlch – oddeutu dwy droedfedd – â phob tro arall y gwrthodai aros ynghau yn ystod y ddau ddiwrnod blaenorol, byth ers iddynt osod Tomos Beynon, yn ei arch, yn y parlwr. A gwyddai William yn iawn na allai neb fod wedi ei agor o ochr y cyntedd; buasai'n rhaid i'r sawl fod wedi eu pasio, efe a'i chwaer, yn y gegin. Gwyddai i sicrwydd nad oedd yr un enaid wedi cael mynediad dros riniog y tŷ. Ac os nad agorwyd y drws gan unrhyw un o ochr y cyntedd, yna sut oedd y peth yn bosibl?

'Lisa!' galwodd ar ei chwaer, 'Lisa! Dewch 'ma!'

Clywodd William gadair ei chwaer yn crafu'n gras ar lechi llawr y gegin wrth iddi godi ar frys. Ymhen eiliad neu ddwy yr oedd Lisa'n edrych dros ysgwydd ei brawd i gyfeiriad y parlwr, gyda'r union feddwl yn gwawrio arni â'r un a oedd newydd daro William.

'Shwt yn y byd?' holodd hi.

'P'ach â gofyn i fi,' atebodd yntau.

Gwthiodd William y drws ar agor yn egr, a chludodd yr awel a achoswyd gan yr hyrddiad sydyn aroglau cwyr ar gelfi pren i lenwi ffroenau'r brawd a chwaer, yn ychwanegol i sawr derwin yr arch ffres. Ni wyddent yn union pa erchyllter i'w ddisgwyl wrth hyrddio i mewn i'r parlwr, ond yno, yn greadigaeth ysblennydd o bren cyfoethog a dyrnddolennau pres, yn gorwedd ar hyd y ford orau, roedd arch eu tad. A dim arall. Nid oedd yno na bwgan na diafol. Ni welon nhw'r un ddrychiolaeth, na phrofi wylo arallfydol unrhyw fwci. Yr unig beth a'u trawodd oedd y tawelwch digynnwrf. Nid oedd ychwaith arlliw o'r holl giniawau hwyliog, a ddathlasai lu o wyliau a cherrig milltir teuluol, a gynhelid yno ar hyd y blynyddoedd; roedd blas y rheiny wedi ei garthu. Yr eiliad honno, teimlai'r parlwr yn ddieithr iawn i William a Lisa.

Yn y golau haul di-lwch a ddawnsiai drwy'r llenni cilagored, roedd yr arch i'w gweld yn gelficyn nobl. Bron yn rhywbeth i'w chwenychu. Teimlodd William ryw fodlondeb wrth astudio'r llestr a fyddai'n cludo ei dad i'w fedd, a hyderodd y byddai Tomos Beynon yn derbyn yr angladd yr oedd yn ei haeddu mewn cerbyd mor odidog. Craffodd William ar yr arch, a sylweddolodd bryd hynny nad oedd ei dad yn fawr o gorff.

Tynnodd Lisa ar benelin siaced ei brawd. Nid oedd diben aros yno rhagor, ac aeth y ddau yn ôl i'r gegin. Setlodd William mewn cadair ger gwres ffwrn y simdde fawr i ddarllen ei bapur newydd, tra aeth Lisa i'r llofft i weld sut oedd pethau ar eu mam. Wrth iddo dynnu ar fwg ei lond cetyn o dybaco ffres, ceisiodd William ei orau i anwybyddu hanes y rhyfel yn ei gopi o'r *Journal*, ond ni adawodd hynny lawer iddo bori trwyddo, gan fod sôn am yr ymladd yn llychwino bron pob ysgrif. Yn ddiweddar, âi darllen y papur newydd yn orchwyl trwm iddo. Plygodd y dalennau mawr, a'u gosod yn ei gôl. Synfyfyriodd ar ddigwyddiadau'r deuddydd diweddar; y dirywiad disymwth yn iechyd ei dad, ei encilio a'i farwolaeth wedyn. Meddyliodd am Richards yr ymgymerwr o Fynyddygarreg yn cludo'r corff o'r tŷ, ac yna'n ei ddychwelyd yn yr arch. Hefyd, helynt y drws a fu ers deuddydd yn gwrthod aros ynghau, ac a ymddygai fel plentyn wedi ei ddifetha, yn ystrancio'n anufudd.

Bu'r prynhawn Sadwrn hwnnw'n wahanol i'r Sadwrn arferol i deulu Penallt. Gyda chorff Tomos Beynon yn gwmni tawedog iddynt, dyma aros yn segur, mewn tŷ a oedd yn ddall gan lenni caeedig, i weithredoedd y byd. Ond edrychai'r brawd a chwaer bob hyn a hyn, drwy gilholltau yn y melfedîn a'r netin, ar Brinli'r gwas yn mynd o gwmpas ei orchwylion ar hyd y buarth, ac yntau, yn ôl ei arfer, ag un llygad o hyd ar ffenestri'r ffermdy. Treuliasant y diwrnod, ill dau, yn nistawrwydd eu myfyrdodau, gyda griddfannau eu mam a sŵn drws y parlwr yn agor o hyd yn tarfu ar y prudd-der; felly'r cloc tad-cu yng nghornel y gegin, yn pendilio marts y meirw. Codai William weithiau i gau y drws – gweithred a oedd yn barod wedi mynd i deimlo'n dasg ddibwys – ac âi Lisa i dendio ar ei mam pan nadai honno o'r entrychion.

Tua diwedd y prynhawn, daeth Lisa i mewn i'r gegin ar ôl tro byr ar erchwyn gwely ei mam, a chafodd y profiad hwnnw'n un rhyfedd. Sylwodd William ar ei dryswch pedolog.

'Beth sy'n 'ych poeni chi, Lisa?'

'Rhywbeth 'wedodd ein mam,' atebodd hi'n ddistaw, yn bell ei meddwl. 'Glywoch chi 'ddi'n cadw sŵn trw'r dydd, ond dofe?... Chi'n gwbod shwt ma hi 'di mynd yn ddweddar, Wili.'

Nodiodd ei brawd ei ben.

'Ond pan es i ati gynne...' Oedodd Lisa, gan ymbalfalu am y geiriau cywir.

Caeodd William y *Journal* gan dorri'r awyrgylch â sŵn sych y dalennau'n crensian. Pwysodd ymlaen yn erfyngar yn ei gadair, ac aeth Lisa yn ei blaen;

'Gynne... o'dd hi fel rhywun gwahanol. Dierth. Rhywun o'n i ddim yn 'i nabod. O'dd hi ddim mewn po'n, medde hi, ac o'dd hi'n gwenu... ddim yn achwyn o gwbwl...'

Cododd William ei aeliau mewn anghrediniaeth. Nid oedd y ddynes hon yn swnio fel eu mam. Ac, erbyn meddwl, roedd yn rhaid iddo gydnabod y bu'r awr ddiwethaf yn un led heddychlon.

'Ond 'na'r peth rhyfedda wedyn,' ychwanegodd Lisa. 'Ma hi'n cadw mlân i weud bod Dad yn dod i'w gweld hi, yn dod i neud yn siŵr 'i bod hi'n iawn.'

'Pa'ch â siarad dwli!' taerodd William yn syn.

'Ody,' atebodd hithau, 'mae'n mynnu 'i fod e 'na, gyda hi, o hyd. Yn ishte ar ochr 'i gwely, yn dala 'i llaw. Wy'n trial gweud 'thi... na, Mam... ma Dad wedi'n gadel ni... ni 'di gweud 'thoch chi, mae e wedi marw ers dyddie... ond dyw hi ddim yn derbyn.'

'Wedi drysu ma hi,' wfftiodd William. 'Whare meddylie. Wedi ypseto.'

'Wel wy'n gwbod 'nny, w'. Ond sai'n gwbod beth sy 'di dod drosti, nagw i wir.'

Am eiliadau, edrychent i'w gwagleoedd eu hunain mewn tawelwch, heb i'r naill na'r llall wneud sylw pellach am ddatganiadau eu mam. Cynheuodd William lond cetyn arall, a chododd Lisa belen o wlân a gweill. Ac yna, gyda'r cyfnos, yn nhes cysgbair y lle tân, aeth y brawd a'r chwaer i bendwmpian.

Yn y tir neb hwnnw rhwng cwsg ac effro, medrai William glywed y gynnau'n diasbedain ar hyd y ffosydd. Yn powndio a tharanu. Clywodd sŵn yr howitzer a'r magnel yn morthwylio, ac oerodd drosto wrth i grïau trueiniaid lenwi ei ben. Trwy gilhollt yn y llenni, medrai weld y ffosydd yn llosgi'n uffern, a'r fflamau'n esgyn fel bysedd prysur tua'r awyr.

'William!… Er mwyn y mowredd, William! Dihunwch, wnewch chi?'

Wrth ei ysgwyd ei hun yn ôl i dir y byw, y tu hwnt i sŵn ymbilio ei chwaer y clywodd William lais Brinli Protheroe'n crochian y tu allan i ddrws y bac wrth iddo guro nerth ei ddwrn.

'Mistar Beynon!… Mistar Beynon!… Dewch gloi!'

'Oreit, oreit, Brinli, aros funed, 'achan!' bloeddiodd William yn ôl.

Cododd William ar ei draed, gan sarnu'r *Carmarthen Journal* yn ddeiliach di-drefn ar hyd y llawr. Pan agorodd y drws i'r gwas, gwelodd fod yna gochni rhyfedd yn lliwio aer y nos, a steiff llosgol yn darth ar hyd y buarth.

'Y rhic farlys, Mistar Beynon!' taerodd y gwas, yn gloywi gan chwys.

'Beth ambytu 'ddi?'

Roedd pen William Beynon yntau'n dawch ar ôl ei fyrgwsg.

'Ma rhywun wedi rhoi matsien iddi!' ebe Brinli.

Hanner awr yn ddiweddarach, amgylchynwyd y das gan dorf fechan, fel gwrachod o gwmpas coelcerth eu sabat. Roeddent yn gyfuniad o weithlu Penallt, a gweithwyr a ruthrodd yno o ffermydd cyfagos. Wedi ymgasglu yno hefyd roedd detholiad o bentrefwyr o Lansaint, ar ôl iddynt weld y fflamau'n rhuo ar y gorwel agos; rhai â'u bryd ar gymwynasu'n gymdogol, ac eraill, yn dyddynwyr a photsiars a gwragedd cocos, a ddaeth i wylio'n ddiddig. Ymdrechodd y rhai oedd wedi'u harfogi â bwcedi o ddŵr i ddiffodd y tân a ddringai'n barod i frig y das. Yn gegagored, ymhlith y sawl a wyliai, roedd John Beynon, yn siglo'n araf yn ei unfan â'i getyn fwstás yn llaith o hyd gan ewyn cwrw. Ceisiodd roi trefn ar ei lygaid er mwyn iddynt weld yr un peth â'i gilydd trwy len afluniedig ei feddwdod, gan dderbyn cerydd gan ei frawd bach.

'Ble ddiawl wyt ti 'di bod 'sbo'i nawr, 'te?'

Ni allai John gynnig ateb i William. Fel rheol, fe fyddai wedi cyhoeddi y 'King's', neu'r 'Joiner's' yn ateb heriol a balch i gwestiynu cyhuddgar ei frawd, ond dim heno. Teimlodd William ei foch chwith yn poethi, a John ei foch dde yntau, wrth iddynt syllu ar ei gilydd yn ddisiarad yng ngwres y tanllwyth, a'r gwreichion yn dawnsio fel sylltau orengoch, o'u cwmpas, cyn i William ddatgysylltu ei hun. Rhedodd tuag at y cafn dŵr gerllaw, a dechreuodd ddisbyddu. Parhaodd John i simsanu fel poplysen, gan ddyrchafu ei ên yn braf tua'r lleuad er mwyn torheulo yng ngwres y gyflafan.

Ymhen yr awr, daeth yn amlwg i bawb oedd yn bresennol nad oedd diben ceisio brwydro yn erbyn y tân. Prin oedd y cnwd a oroesai'r amlosgiad, ac nid oedd yn hir cyn i'r dorf wasgaru a bwrw am adref ar draws y caeau lloerwyn; aeth rhai o'r pentrefwyr yn ôl i'w cartrefi yn fodlon ar eu noson o adloniant annisgwyl, a dyrnaid o'r rheiny'n siomedig fod y sbort wedi dod i ben. Gyda'i wynt yn ei ddwrn, bloeddiodd William ei ddiolchiadau ar eu hôl wrth iddynt ymlwybro o olwg buarth Penallt, oll gan glebran a chwalu'n frwd am ddigwyddiadau'r hwyrnos.

Astudiodd William y pentrefwyr wrth iddynt lusgo eu gwadnau hoeliog ar draws y caeau, ac aeth ei ddychymyg, yn ogystal, i graffu arnynt. Ni allai beidio â cheisio dyfalu pa un ohonyn nhw a roes y das ar dân. Un o'r rhai a helpodd wedyn i'w diffodd? Byw iawn o hyd yn yr ymwybyddiaeth leol oedd yr anghydfod a fu ryw ddeunaw mis ynghynt. Aeth yn achos llys chwerw: dyrnaid o deuluoedd hel cocos yn ceisio hawlio rhai o erwau Penallt iddynt hwy eu hunain fel rhywle i'w hasynnod gael pori. Tan hynny, cawsai'r anifeiliaid rwydd hynt i grwydro'n braf yn y gymdogaeth, ac i ymborthi yn y lleiniau wrth ymyl y ffyrdd bychain, diarffordd. Ond aeth yr awdurdodau i wgu ar yr arferiad, a gorfu i'r teuluoedd hynny gadw eu hanifeiliaid o fewn ffiniau caeth. Digiodd y pentrefwyr, a throi'n biwis at ddeddf gwlad er mwyn hawlio, trwy orchymyn llys, gae neu ddau o dir Penallt fel digollediad teg. Llwyddodd yr achos llys ymgecrus a ddilynodd i suro'n waeth fyth y berthynas fregus a fodolasai rhwng y Beynoniaid a'r casglwyr cocos. Deilliai'r anesmwythyd o ganlyniad i'r holl flynyddoedd hynny pan dreuliasai cenedlaethau o wrywod Llansaint nosweithiau yn potsio cwningod o gaeau'r fferm, fel ffureti dynol, neu'n twrio fel gwahaddod dan olau lleuad am dato ac erfin yn yr ardd lysiau.

Galwodd William ei werthfawrogiad at y pentrefwyr unwaith eto, wrth iddynt ddiflannu dros grib y bryn. Ni chlywodd yr un ohonynt yn cydnabod ei ddiolchiadau.

Pan ddychwelodd William i'r gegin, roedd hi wedi hanner nos. Ar ôl iddo offrymu ei gap chwyslyd, yn ddu gan huddyg, i'r bachyn y tu ôl i ddrws y cefn, aeth ati i olchi ei ddwylo a'i wyneb yn y sinc. Teimlai'r dŵr oer yn braf ar ei groen aflonydd. Pan gododd ei ben i'w sychu â rhacsyn glân, denwyd ei sylw gan sŵn distaw, a phan graffodd, gwelodd fod Lisa yn ei dagrau yn y gegin. Yno'n ceisio cynnig rhyw gysur llygadgroes iddi yr oedd John.

Yn ystod awr y llosgi, bu farw eu mam. Yn ei heiliad olaf, wrth iddi huno'n dwt fel pathew wedi cwtsio'n belen yn nail ei blancedi, gwelwyd golau godidog ar draws Bae Caerfyrddin, yn tarddu o'r tân yn y das; begwn ydoedd, herodr marwolaethau y Beynoniaid. Coelcerth fel y sawl a gynhesid ar draethau Sant Ismael ar hyd y canrifoedd i ddenu llongau dryslyd at eu dryllio. Fel y tanllwythau a grëid er mwyn diolch i'r duwiau cyntefig am gynaeafau da, ac i ddeisyfu arnynt am dymor ffrwythlon arall. A dyma bobl y pridd yn dychwelyd i'r pridd, a'u llwch i fynwes Henwen ac Amaethon, a holl dduwiau'r pridd; yn genhedlaeth yn esgyn i'r ffurfafen, yn wreichion byrhoedlog uwchben y tân yn y das farlys.

Taflodd William fraich flinedig o gwmpas ysgwydd ei chwaer a'i thynnu ato'n drwsgl.

'O't ti gyda hi, Lisa?' gofynnodd iddi. 'O't ti gyda hi pan a'th hi?'

Nodiodd Lisa ei phen.

'O'n,' meddai hi, gan godi macyn at ei llygaid.

'Wy'n falch,' atebodd yntau, am mai dyna i gyd a fedrai feddwl ei ddweud. 'Wy isie mynd i'r llofft i'w gweld hi.'

Gwyddai, wrth sylwi ar y chwyrnu cras a oedd wedi dechrau sennu naws y gegin, nad oedd diben gofyn i'w frawd fynd yn gydymaith iddo. Aeth William i'r cyntedd, ond cyn gosod troed ar y grisiau, troes ef i edrych ar ddrws y parlwr, a oedd led y pen ar agor. Oedodd yno'n pendroni am ennyd, ond ni wnaeth unrhyw beth yn ei gylch, ac yna dilynodd y carped hir a redai ar hyd y rhiw bren i ben y landin.

Edrychodd William ar ei fam, a orweddai yn ei gwely heb yr un mynegiant yn urddasu ei hwyneb. Er hynny, roedd ganddi arlliw o wrid yn ei bochau, ac nid oedd y gelain eto wedi colli naws y bod dynol. Y presenoldeb anniffiniol hwnnw sydd yn ildio mor gyflym i ryw anfywiogrwydd, afreal. Rhoddodd William law ar law ei fam. Medrai deimlo cynhesrwydd y corff hefyd yn pylu o dan ei gyffyrddiad, megis llaeth buwch mewn ystên ar fore rhewog.

Ni allai William ddweud yr un gair. Rywsut, yr oedd arno ofn deffro ei fam gan y gwyddai gymaint y bu'r ddynes yn dioddef yn ei misoedd olaf. Teimlodd yn rhyfedd o ddigynnwrf; nid yn ddideimlad, ond yn ddiddig yn ei chwmni, bron fel y teimlasai wrth glosio at ei mynwes pan oedd yn fachgen bach. Cusanodd William gledr ei law ei hun, ac yna, trosglwyddodd y gusan honno i dalcen ei fam. Wrth iddo adael y llofft, ac edrych yn ôl arni am un tro eto, sylwodd ar ei phryd a'i gwedd yn gwelwi o flaen ei lygaid a gwyddai ei fod newydd dystio i'r eiliad pan ymadawodd enaid Catherine â'i chorff bydol.

Wrth iddo gyrraedd yn ôl i'r landin, ni theimlodd William yr angen i wirio drws y parlwr. Roedd yr hyn a'i cadwai i gilagor yn awr wedi ei ddistewi. Ni wyddai William y rheswm, ond teimlai'n sicr fod ei dad a'i fam eto gyda'i gilydd, ac yn yr un modd y drws a'i ffrâm.

Fore trannoeth, pan aeth William â hen flwch taclau ei dad yn ôl i'r siop waith ger y beudy, eisteddodd ar fainc yno ac wylodd yn ddistaw ar ei ben ei hun. Medrai weld, trwy'r ffenestri gweog a mwg mudlosg y tân fu mor ffyrnig oriau ynghynt, wawr wahanol iawn yn torri ar y gorwel islaw'r fferm.

LLID

Ma'r jawl 'na yn y gwely yr ochr draw i'r wal i fy un i yn mynd i'm lladd i cyn i unrhyw beth arall ga'l y cyfle. Ei enw e fydd ar 'yn nhystysgrif i.

Prif Achos y Farwolaeth: Aflafaredd rhyw dwat o'r enw Jordan.

Dyw e jyst ddim yn stopo.

'*Nurse, I'm in pain!*' neu, '*Nurse, I gorroo 'ave a fag!*'

'*Nurse!... Nurse!... Nurse!... Nurse!... Nurse!*'

Ac yn y blân.

(Chi 'di deall hi, wy'n siŵr).

Bob eiliad o'r dydd.

Bob.

Eiliad.

Am y rheswm lleia, fel arfer.

Tro dwetha iddo fe fynnu sylw'r nyrs, o'dd hynny achos bod e'n *bored*.

O ddifri, nawr.

Bored.

Allwch chi gredu 'na?

Oreit, boi, meddylies i. Y'n ni i gyd yn *bored* fan hyn. Ond dyw hynny ddim yn esgus i ti alw pob enw dan haul arni, jysd ar ôl iddi dendo arnot ti. Cliro dy fochyndra di. Jyst achos bod hi'n dod o Hwngari.

Rwy'n timlo'n flin drosti weithie. Noemi. (Mae'n gweud 'nny ar 'i bathodyn). Merch dawel, siriol. Pert, mewn ffordd ddi-hid. Gwallt sgleiniog du, yr un lliw â chorff y gitâr Fender Stratocaster 'na brynes i i'n hunan gwpwl o flynyddodd yn ôl. Sai'n gallu *whare* gitâr, cofiwch. Ond mae'n edrych yn cŵl. Fel Noemi.

Ni 'di dechre ryw fath o rwtîn, Noemi a fi. Mae'n trial dysgu Cymrâg, ac isie ymarfer gyda fi o hyd. Y pethe arferol, ie, bore da, nos da, diolch, stwff fel 'nny... ond pethe dyfnach 'fyd. Mwy cymhleth. Mwy esoterig. Mae'n gweud pethe fel:

'Da iawn. Wyth deg a chwech *beats per minute*, Mister Jones. Ti yn... cael gwell.'

(Odw. Wy'n credu *bo* fi'n gwella. Slow fach, ontefe).

A,

'Ti wedi bwyta bol mawr *of breakfast*.'

Ac 'yf fi wastad yn 'i hateb gyda,

'*Koszonom*.'

Diolch.

Köszönöm.

(Be 'nelen i heb Google Translate?)

Ac ma'i wastad yn dweud

'*Fogadtatas*'

yn ôl wrtho i.

Gofynnodd Jordan iddi pam ei bod hi'n ffwdanu gyda'r *foreign language* 'na, ar ôl ein clywed ni wrthi gwpl o ddwrnode'n ôl.

'*Hungarian?*' clywes i 'ddi'n gweud wrtho fe, yn ei hacen

hyfryd, yn sawru o ddyfnderoedd tywyll Llyn Balaton. 'Yes. Well, it may be foreign language to you, Jordan. But why is that problem? Variety is spice of life!'

'Not talkin abourrat,' atebodd Jordan. 'I'm talkin bourrat ambone lingo. The sheepy talk. Waste of time.'

Ma Jordan yn gyn-filwr ac yn dod o Dafen, medde Noemi. (Wedodd hi wrtha i'n dawel bore ddoe). Ma' fe yma achos rhyw ddamwen ddifrifol, mae'n debyg, ond sai 'di holi mwy, achos, wel, a gweud y gwir sdim taten o ots 'da fi am Jordan. Wy'n gwbod gormod amdano fe'n barod. Beta i fod Jordan y cyn-filwr yn hala lot gormod o'i amser ar Twitter – neu 'X' nawr, ontefe. Wy'n ei ddychmygu'n treulio'i orie'n gweiddi 'da blân 'i fysedd i mewn i'r siambr atseinio 'na, nes bod gwythienne ei wddwg fel cêbls trydan yn gorwedd ar hyd ei grôn tyn.

Wedwn i fod 'da Jordan y cyn-filwr datŵ o dair pluen ar ei wddwg. Nid bod lot o wddwg 'dag e; colofn goncrid yn lle gwddwg, rwy'n credu. Bydd 'dag e graith ar ei dalcen, o dan gopa o wallt wedi ei dorri'n fyr, bron hyd at y crôn. Yn gwmws fel Action Man. A rhyw ddiwrnod, bydd Jordan y cyn-filwr, yn ei ddicter anoddefgarol, yn ffrwydro mewn cawod o wâd coch, gwyn a glas Jac-yr-Undebaidd. Dyna'r boi rwy'n ei lunio yn fy meddwl. Dwi erio'd wedi cwrdd â Jordan, cofiwch. Erio'd wedi ei weld e, hyd yn o'd. Ond dyna sut un yw e, saff i chi.

Rwy'n credu bod Noemi 'di tynnu ata i achos bo fi'n siarad Cymrâg. Am wn i achos bod hi 'di synhwyro rhyw ysbryd hoff gytûn ynof fi, fel rhywun sy hefyd yn perthyn i leiafrif. Wedi gweud 'nny, ma digon ohonon ni ar y ward sy'n Gymry Cymrâg. Er bod y lleill i gyd yn weddol hen, falle. Chwedege, saithdege. Ac, yn ôl 'u golwg nhw, rhai itha ceidwadol ŷn nhw 'fyd, wedwn i. Y siort sy wastad yn siarad Saesneg 'da dysgwyr, dim ots am eu gallu. Y siort, pe bydden nhw'n clywed y tinc lleia o acen ryfedd ar Gymrâg rhywun, fydde'n troi 'u trwyne, fel 'se rhywun wedi rhechen gerllaw. Y siort na fydde'n rhy hapus i siarad 'da rhyw 'bobol ddŵad' chwaith, mae'n siŵr.

Bois bach, ma'n jest i'n sôr. Withe, ma jyst meddwl am bethe yn fy hala i'n fyr fy ana'l. A blinedig.

(A nage dim ond achos bod Jordan yn conan bob muned o'r dydd ma 'nny).

Rwy wedi bod mas o'r gwely, cofiwch. Wy 'di bod ambytu'r lle unweth neu ddwy. Ma rhaid i fi. (Sai'n lico bod Noemi'n gorfod helpu fi gyda... wel... beth sy'n dod yn anorfod, os 'ych chi'n deall). Treies i ga'l pip ar Jordan tra bo fi ar fy nhrafels hefyd, ond ro'dd y cyrten wedi ei gau ambytu ei wely fe bob tro.

Ma'n nhw'n gweud bo fi'n ca'l rhoi tro ar ddringo'r stâr fory 'fyd.

Ŵwpi.

Ond rwy ganwaith gwell o gymharu â shwt o'n i ryw wthnos yn ôl.

Yn ishte mewn tagfa ar y draffordd o'n i. Yr hewl jawledig 'na, yr Empedwar, 'prif-wythïen De Cymru', fel ma'n nhw'n 'i galw hi.

(Nath hi ddim lot o ddainoni i 'ngwythienne i, naddo fe?)

Ma fe'n beth od, ond o'dd 'da fi ryw deimlad dierth ambytu fi pan neidies i mewn i'r car y bore 'nny, fel 'se rhywbeth yn gwasgu arna i. Rhywbeth tebyg i'r teimlad eich bod chi 'di anghofio gwneud rhywbeth, ond ddim cweit yn hwnna chwaith. Teimlo fel 'se holl ddarne 'nghorff ddim yn perthyn i'w gilydd. Do'n i ddim yn yr hwylie gore'n gadel. Heb gysgu rhyw lawer. Treulies i'r tamed o gwsg ges i ar fy mraich chwith, achos codes i'n fore â'r pinne bach gw'itha i fi 'u timlo eriôd drwyddi. Hastu wedyn 'nny; bwydo'r ci, towlu tam bach o goffi i lawr fy llwnc, casglu ffeilie at 'i gilydd. A chyrradd y car a 'mrest i'n dynn fel croen ar ddrwm a 'mhen i'n ysgafn reit. Bydysawd o sêr yn danso o flân fy llyged i. Cymeres i taw blinder o'dd e.

Sdim ots faint ma rhywun yn addo ei fod e'n mynd i garco'i hunan, a phido gadel i bethe 'i gorddi fe, dyw hynny byth yn digwydd. Wel, dim yn f'achos i, beth bynnag. Wy'n cofio meddwl, wrth weld y ceir yn arafu o mlân i, a dod i stop jyst cyn tyrn-off Llangyfelach... O, plis. Dim 'to. Er mwyn y nefodd, dim 'to.

Reit.

Ocê.

Gan bwyll nawr, 'te, boi.

Fydd hyn ddim yn para'n hir nawr, meddylies i. Bydd popeth yn symud yn iawn eto yn y funed. A llwyddes i i bwyllo'n hunan 'fyd. Dyma fi'n gwrando ar y radio'n dawel bach, ac yn dod i ben â'r sefyllfa'n iawn. Yn adlonni fy hunan. Yn anadlu'n araf a phendant, ac yn adrodd yn dawel, fel mantra, i fi fy hunan;

'Dim ond jobyn o waith yw e...

Sneb wedi marw...

Beth yw'r ots os 'yf fi'n hwyr, yn nhrefen fowr pethe?...

Dim ond jobyn o waith yw e...

Sneb wedi marw...'

Ro'n i'n olreit. Ro'n i mewn lle gweddol.

Yn ddigon jycôs.

Cyn i'r ionc 'ma ddechre goddiweddyd pobol ar y tu fewn.

Fe weles i fe'n dod o bell yn fy nrych, yn 'i BMW gwyn. Sbectol haul Aviator. Tan o botel.

Gwallt melyn â strîcs.

Tene fel rhaca, o'r hyn o'n i'n gallu'i weld, rial llygoden o foi.

Posyr.

Ro'n i'n meddwl taw achub ar ei gyfle i gyrradd y gyffordd yn gynt o'dd e, ond na. Hedfanodd hibo i'r tyrn-off heb dorri 'i gam o gwbl. Jwmpo'r ciw o'dd y jawl.

Clown, meddylies i.

Canes i 'nghorn arno fe. Plannes i 'nwrn reit yng nghanol yr olwyn a thrwmpedes i arno fe. Edrychodd e nôl dros ei ysgwydd yn gwbl ddifater arna i wrth fynd hibo, ac yn slow fach, weles i ei fys canol yn codi i'r golwg yn ei ffenest, fel merciwri'n codi mewn thermomedr.

Salíwt fonolithig.

Tynnodd e mas i'm lôn i wedyn, ryw ddou gar o 'mlân i.

Os do fe, 'te...

Nawr, pidwch â chamddeall. Wy 'di teithio ar hyd yr Empedwar 'na am ddigon o flynyddodd i beidio â gadel i'r peth lleia sy'n digwydd fy nghorddi. Wy 'di dysgu i beidio â rhoi arwyddion o anghydsynied i'r rheiny sy'n gyrru â'u golygon ar y ffonau yn eu coliau. Neu fflachio goleuadau ar y sawl sy'n fflicio'u papurau losin ne'u ffags mas o'u ffenestri, gan achosi iddyn nhw fownsio oddi ar fy winsgrin. Ond ro'n i arfer ymateb, bob tro. Ro'n i arfer ag ymateb i bopeth, *pob un peth*, fydde'n fy nghorddi. A hynny heb bwyllo ne oedi i feddwl shwt o'n i'n ymddangos i bobol erill. Shwt o'dd fy hen gleme'n edrych i rywun fydde'n fy ngweld. Ond fe ddigwyddodd un peth rywdro a achosodd i fi gallio tamed bach, a hynny ar ddiwrnod angladd fy mam-gu.

Ro'n ni newydd ei chladdu ar ddiwrnod gwlyb, ac wedi bwrw'n ôl am y gwesty ble ro'n ni i fod i ga'l rhyw frechdane a the, a chofio amdani. Pan gyrhaeddon ni'r gwesty do'dd dim lle i barco oddi ar yr hewl a chynigodd yr ymgymerwr o'dd yn gyrru'r Limo du na fydden ni'n achosi gormod o dagfa tasen ni'n stopo am eiliad yng nghanol yr hewl er mwyn i bawb ga'l glanio. Ro'n i'n ishte yn y cefn gyda Mam a'm chwâr a 'mrawd, a 'mrawd arall yn y sêt fla'n. Erbyn imi roi nhrâd ar y pafin, wedi i'r lleill gyrradd yno ishws (a Mam, wy'n cyfadde, tamed bach yn araf yn ei henent a'i galar) clywes ganu corn y tu ôl inni; menyw yn ei chanol-oed, mewn car bach glas, a chi rhech yn eistedd ar y silff gefen. Troais i edrych arni drwy'r rhiblenni o ddŵr o'dd yn rhaeadru i lawr ei winsgrin. Edrychodd yn ôl arna i, gyda ryw olwg ddisgwylgar, ddiamynedd ar ei hwyneb. Ro'n i'n methu credu'r peth. O'dd hi'n ddall, ne rwbeth? Codais fy nhei du er mwyn ei amlygu iddi, fel na alle fod unrhyw amheueth yn ei meddwl mai pobol yn eu galar oedd y rhain o'dd yn ymadel â'r car. Ymadel â'r car du.

Y car angladd.

Edrychodd hi'n syth i fyw fy llyged, ac yna canu'r corn eto, y tro hwn, am ychydig yn hirach, ychydig yn fwy cras, a thynnodd hi ddim mo'i llyged oddi arna i yr holl amser. Ro'n i'n gegrwth. Ymestynnes i 'mraich i'w chyfeiriad hi, er mwyn gofyn iddi – trwy ryw ystum rhyfedd – beth yffarn o'dd yn bod arni? Cododd hithe ddau fys arna i, a'i hwyneb yn storm o ddrwgdeimlad. Geiriodd ryw regair neu ddou, cyn llywio ei char ar y pafin yr ochr arall i'r car angladd a gyrru bant, a'r ci rhech yn cyfarth yn fud yn y ffenest gefen, fel petai rhywun wedi troi'r sain i lawr arno fe.

Rhaid i fi gyfadde, bu farw rhywfaint o'm ffydd yn y ddynolryw y dwornod hwnnw, alla i weud 'thoch chi, nid bod llawer 'da fi cyn hynny. Ond ie, menyw'r ci rhech halodd fi i feddwl pa mor ddwl ma rhywun yn ei gracrwydd mewn car yn gallu edrych i rywun ar y tu fas.

Na. Do's dim pwynt codi gwrychyn ar y peth lleia o hyd, ac fel arfer fyddwn i ddim wedi becso am y clown yn y BMW. Rwy'n dod ar draws dege o'r rheiny mewn dwornod. Ond chi ffaelu dreifo fel 'na, 'ych chi? Mae'n beryglus.

Ac o'dd rhaid i fi adel iddo fe wbod 'nny 'fyd.

Ac fe ddechreues i ei gwrso.

Sai'n siŵr beth o'n i'n gobeithio ei gyflawni, cofiwch, ond ma rhywun mor barod i fynd i ryw barth dwl ar adegau fel 'nny. Yn bersonol, 'yf fi wastad yn teimlo bod rhywbeth yn fy 'meddiannu'. Timlo bod rhyw gorrach bach crac yn neidio i mewn i'r sedd peilot yn fy mhen, a phob tro ma hynny'n digwydd, rwy'n gallu teimlo ei waed yn pwmpo'n dwym trwy 'ngwythienne i. Ma'r jawl bach yn lico malu ei ddannedd 'fyd. Mae'n 'u malu nhw nes bod ei foche'n rhoi dolur iddo fe, a gallaf dimlo pont ei drwyn 'fyd, yn cyrlio'n wg salw, a'i hen lyged bach pefriog yn culhau. Ar yr adegau 'nny, rwy'n gweld y byd trwy ei lyged. Trwy wawl coch.

(Carwyn yw enw'r corrach, gyda llaw, ond nid o achos unrhyw gyflythrennu Cymreigedd pert. Dim byd hanner mor glefyr. Na, dim ond pan 'yf i yn y car ma *Car*-wyn yn ymddangos. Wedes i fod dim byd clefyr am yr enw, on'd do fe?)

Fel arfer, ar ôl i'r gwâd oeri, ar ôl i'r gwylltineb baso fel un o'r stormydd 'na sy'n hwthu i mewn o'r Iwerydd mor aml y dyddie hyn, ac ar ôl i Carwyn fynd i felltithio rhywun arall, bydda i'n teimlo cywilydd wedyn. Ac addo y bydda i'n bihafio'r tro nesa. Yn addo i bido ymateb mor ddifeddwl.

Ond y tro hyn...

Ro'dd y boi yn y Bîmyr yn dechrau diflannu yn y pellter, ond ro'n i'n dal yn gallu 'i weld e'n gwau ei ffordd, fel gwennol ar ŵydd, blith draphlith, rhwng y ceir erill.

Ro'dd y cythrel yn 'dianc'...

Mewn un symudiad, newides i lawr ddwy gêr, a rhoies glocsen i'r throtl...

Bypass o'dd ei angen.

Na. Nid am yr Empedwar 'yf fi'n sôn nawr, er bod isie sawl un fanno. O'dd angen un arna *i*. Wedi bod ers blynydde, mae'n debyg. A minne wedi meddwl ers sbel taw'r holl goffi o'n i'n yfed o'dd yn achosi i 'nghalon grynu fel adenydd gwyfyn. Ro'n i 'di anwybyddu hefyd, am flynydde, y ffaith bod y curiad hwnnw mor drwm yn fy nghlustie wrth i fi orwedd fy mhen ar y gobennydd bob nos, fel na allwn i setlo i gysgu am awr a mwy o'i achos e. Fel mwrthwl yn pwno yn fy mrest ac yn fy mhen. Fel ebill niwmatig yn drilio tarmac hewl. A'r sŵn ŵsssh... ŵsssh hefyd... fel llanw ar drâth, yn gydymaith i'r curo; rhyw *white noise* yn ergydio mewn unsain â'r galon... Trw'r amser... Yn enwedig yn yr eiliade tawel. Yn enwedig gyda'r nos.

O, mae'n ddigon amlwg nawr, on'd yw e?

Do. Dyle bo fi 'di pwyllo, a ph'ido streso cyment... a dyle bo fi 'di gwneud tamed bach mwy o ymarfer corff... Ne jyst *ymarfer* fy nghorff, ffwl stop. Ma 'da fi feic yn y sied, ond pob tro wy'n edrych arno fe, mae'n codi ofn arna i'n wa'th nag y galle unrhyw un o'r ffilmie arswyd 'na ro'n i arfer 'u gwylio'n blentyn fod wedi ei wneud fyth.

Ac ie, dyle bo fi 'di torri lawr ar y braster. A'r halen. A'r glased ne dri o win ro'n i'n 'u hyfed bob nos. Un gwydred bach fel anesthetig. Gwydred bach arall i ddylu awch y dydd. Ac un bach arall, jyst i wneud yn siŵr.

A streso wedyn bo fi'n yfed gormod...

...Iesu Grist. Am fes o ddyn.

Ma'r hen ddywediad yn iawn, on'd yw e? Ma ôl-syllu'n beth rhyfeddol.

Hedfanes i hibo i'r lori MD Transport mor glou, mae'n itha posib na sylwodd y gyrrwr arna i o gwbl, ond fel fflach goch yng nghornel ei lygad. A'r un peth gyda'r lori Nolan International wedyn. Do'dd y bachan yn y BMW yn gwbod dim am y peth, ond ro'n i'n ennill tir, a dyma fi'n cadw mlân i wasgu'r sbardun gan edrych o hyd yn y drych, rhag ofn i gar heddlu ymddangos o rywle, fel rhyw walch glas mewn llond perllan o adar.

Ro'dd Boi y Bîmyr fel tase fe 'di arafu tamed bach erbyn i fi ddod o fewn rhyw bedwar car iddo fe eto. Dechreues i dimlo'n eitha balch o'n hunan, bo fi 'di ei orfodi i bwyllo. Fel rhyw 'farchog y priffyrdd'. Ro'n i 'di llwyddo i berswadio rhywun i'w chymryd hi gan bwyll, a da iawn fi. Ro'n i'n gallu ei ddychmygu'n ceryddu ei hunan yn dawel bach am fod mor ddwl, ac am ddangos ei hunan o flaen ei gyd-fodurwyr. Sach lien a lludw nawr, ontefe, boi?

Cyflymes i damed bach i'w oddiweddyd er mwyn codi bawd arno i'w 'longyfarch'; nawddoglyd, wy'n gwbod, ond y gwir yw o'n i 'di dechre teimlo fel tamed bach o ffŵl fy hunan erbyn 'nny am fynd i shwt demper. Ro'n i isie... sai'n gwbod... cymodi, sbo, mewn ffordd ryfedd. Pan es i ochr yn ochr ag e, ro'n i'n gallu 'i weld e'n glir erbyn hynny, gyda'i drwyn i lawr...

...a'i olygon ar ei ffôn.

Yn tecsto.

Yn gwneud rhyw wyth-deg pum milltir yr awr ar y draffordd, ac yn tecsto.

Dyna pam o'dd e wedi arafu. Do'dd e ddim wedi cal yr un pwl o edifeirwch, nac unrhyw epiffani moesol chwaith.

O'r gore, 'te, gyfaill.

Mano a mano yw hi.

Canes i'r corn fel na chanwyd corn erio'd o'r bla'n yn hanes moduro. Canu'r corn nes ei fod e'n sgrechen fel seiren cyrch awyr. Cododd Boi y Bîmyr ei ben mewn syndod wrth glywed trwmpeda'r rhyfelgorn ger ei ffenest. Gan bo fi mor agos ato, ro'n i'n gallu 'i weld e mewn mwy o fanylder nawr, a'i fysedd oren, hirfain, fel pryfed cop newynog yn cydio yn yr olwyn, a'i freichie gieuog fel coese twrci sy 'di bod yn rhy hir yn y ffwrn. A, chi'n gwbod, y peth rhyfedd yw… Wel, sai'n siŵr iawn shwd yn gwmws i weud hyn, ond… O'dd fel tase rhyw gysgod o ffigwr yn ishte ar ei ysgwydd e. Ie, wy'n gwbod. Nyts, on'd yw e? Ond wy'n taeru, dyna ble o'dd e, fel drych-lun bach, aneglur, o'r dreifyr 'i hunan.

Od.

Sgyrnyges i arno fe, gan ddinoethi fy nannedd. (Ie. Wy'n gwbod… Ond nid fi o'dd yn sgyrnygu, wrth gwrs, ond Carwyn, ac o'dd e'n rili mynd amdani y tro 'ma. O'dd hi fel tase Carwyn ei hunan wedi ei feddiannu gan ryw gythrel bach. Ro'n i'n gallu timlo ei gracrwydd yn cwrso trwy 'ngwythienne i gyd, fel rhyw Niagara o dân tawdd).

Gwenodd Boi y Bîmyr arna i. A dyma'r boi wedyn yn codi ei ffôn i'r ffenest a'i whifio'n araf a gorfoleddus – ie, hwnna yw'r gair, gorfoleddus – â'i law dde gorynnog, heb dalu fowr ddim o sylw i'r hewl o'i flân.

Do'dd dim syniad 'da fi shwt i ymateb i hynny.

Beth allen i neud? Dechreues i ysgwyd fy mhen yn araf, mewn anghredinieth, ond cymerodd Boi y Bîmyr unrhyw benderfyniad mas o 'nwylo i pan hyrddiodd i lawr trwy'r gerbocs a'i choedo hi ar hyd y draffordd unwaith 'to.

Do'dd dim ots faint o'n i'n arteithio'r sbardun, do'dd 'da nghar inne ddim mo'r un nerth o dan ei fonet ag o'dd 'da'r Bîmyr. Ro'n i'n gallu gweld, wrth iddo ddiflannu fel taflegryn Exocet o 'mlân i, fod 'da'r car ddwy beipen egsost; i beth gythrel ma rhywun isie dwy egsost? A wy ddim yn gwbod pam, ond nath y ffaith fod 'dag e ddwy egsost fy nghythruddo i'n wath.

(Ro'dd Carwyn yn tampan 'fyd).

Ro'dd fy nghar inne'n dechre stryglo nawr, ond llwyddes i gadw'r boi yn fy ngolygon unwaith eto, a phan ges i damed o hewl glir rhynton ni, dechreues i fflachio fy ngoleuade fel rhywbeth gwyllt y tu ôl iddo fe. A dyma fe'n cyrraedd wedyn ryw *road block* symudol; car, na ddyle 'di bod yn y lôn gyflym yn treial goddiweddyd car a o'dd yn mynd yr un mor araf ar y lôn tu fewn. Dechreuodd Boi y Bîmyr lywio'r car o ochr i ochr y tu ôl 'ddyn nhw, yn gwyro fel meddwyn o un lôn i'r llall er mwyn gorfodi un ohonyn nhw i ildio iddo fe, ond do'dd dim un o'r ddau yrrwr am symud; sai'n credu nath yr hen foi yn y ffast lên sylwi 'i fod e yno ta p'un 'nny. A dyna pryd gweles i'r peth mwyaf hurt a weles i eriôd yn digwydd ar briffordd… Gyrrodd Boi y Bîmyr *rhwng* y ddau gar. Ar y blydi Empedwar, cofiwch! 'U pasio nhw i lawr y canol. Do'dd dim lôn iddo fe, wrth gwrs, na llawer o le chwaith, ond fe a'th e rhyntyn nhw.

A dyma ganu cyrn, 'te. Ro'dd hi fel tase'r Empedwar gyfan yn cydganu, yn gôr cras o geir, gyda gyrwyr yn breco yn eu syndod gan oleuo'r draffordd fel coeden Nadolig. A'r holl amser, Boi y Bîmyr yn ochorgamu ei ffordd rhyntyn nhw fel rhyw faswr Cymreig o'r saithdegau. Bois bach, teimles i Carwyn yn dechre gwylltu wedyn, 'te. Stranco! Ro'n i'n gallu ei deimlo'n stampo ei drâd y tu mewn i fi, a phob ergyd yn teimlo fel carn tarw'n ysgwyd y ddaear. A'i galon i'w theimlo yn ei wythienne, ac yn fy ngwythienne inne, yn pwmpo fel piston haearn, yn gorfodi i 'ngwâd inne i gadw cam â charlamiad ei wâd e...

A dyna i gyd wy'n ei gofio am y siwrne hynny.

Rwy'n hanner cofio dihuno'n ysbeidiol mewn ambiwlans wedyn, a'r paramedics yn eu dillad gwyrdd yn ymddangos ac yn diflannu trwy niwl fy ngolwg. Ro'n nhw'n treial eu gore i gyfathrebu â fi, ond do'dd dim iws, gan iddyn nhw swno fel tasen nhw'n siarad â'u penne mewn powlenni o uwd. Ond rwy'n cofio meddwl hefyd fod rhaid bod pethe'n itha difrifol arna i, oherwydd ro'n i'n gallu gweld y gole glas yn fflachio, yn adlewyrchu oddi ar walie gwlyb yr ysbyty. Y gole glas yn gyson ei rythm, yn gwau blith draphlith â gole oren y lampe stryd yn disgleirio trwy wydr y cerbyd fel pelydrau lesyr. Gwnath 'nny fy atgoffa, yn rhyfedd iawn, am gyfresi *sci-fi* fy mhlentyndod.

Ro'n i'n weddol effro erbyn iddyn nhw fy nghludo o gefn yr ambiwlans ar y gwely bach ar olwynion. Ac, am y tro cyntaf ers misodd, blynyddodd falle, ro'n i'n teimlo rhyddhad. Ro'n i'n teimlo... sai'n gwbod... yn dangnefeddus. Yn wynfydedig. Ro'n i'n gwbod bod materion, o'r diwedd, mas o 'nwylo i. Ro'n i'n falch taw cyfrifoldeb rhywun arall fydde'n lles inne am sbel. (Wedi'r cwbl, ro'n i 'di profi nad o'n i'n ddigon atebol). Am ryw reswm, edryches i nôl i gyfeiriad crombil yr ambiwlans, a dyna ble'r o'dd e...

...Carwyn.

Yn eistedd ar ei gwrcwd ar ben rhyw fonitor neu'i gilydd gyda'i ben yn gorffwys ar ei ddwrn, yn edrych yn ôl yn bwdlyd arna i dros ei ysgwydd. Fel y cythrel bach yn y llun 'Yr Hunllef' gan Fuseli. Wedyn, cododd ei ddwylo, â'r cledre sha'r awyr, fel tase fe'n gofyn,

'A ble'r ddiawl 'yt ti'n meddwl 'yt ti'n mynd, 'te?'

Rwy'n gwbod, meddylies i, wrth i'w wg o anghredinieth ddiflannu o 'ngolwg i, wy'n gwbod. Paid â bod yn grac 'da fi, boi. Wela i ti whap...

Ond ro'n i'n gweddïo na welen i fe byth eto.

Ac ro'dd e'n gwbod beth o'dd yn mynd trw'n feddwl i 'fyd.

A jyst cyn i'w wyneb fynd yn ddelw wlanog a minnau'n llithro'n ôl i ryw lesmair, wy'n credu i fi ei weld yn gollwng deigryn mawr, crac.

A dyma fi. Yn yr ysbyty. Yn gwella'n slo fach ar ôl llawdrinieth ar y galon, ac yn cyfri'r dyddie nes bo' fi'n ca'l mynd o 'ma.

Rwy'n olreit nawr, yn dod mlân yn iawn. Yn sôr o hyd, a stiff, gyda megin sydd yr un mor ddi-aer â hen Space Hopper, ond ma 'nny i'w ddisgwl, medden nhw. Fydd hi ddim yn hir nes bo fi'n ddigon da i edrych ar ôl 'yn hunan to, yn ddigon abl i ailgydio ym mhethe. Gafel yn sownd yn awenne'r march anystywallt wy'n ei alw'n 'fywyd' unweth 'to, er bydd yn rhaid i bethe newid. Bydd rhaid trwco'r march am ferlyn bach dof. Sai'n dwp. Rwy'n gwbod taw damsiel ar fasgal bydda i am weddill fy mywyd. Ond fel hyn bydd raid iddi fod.

'Nurse!... Nuuurse!'

Ma fe off 'to. Preifet Jordan y cyn-filwr.

'Nuuuuuuuurse, mun!'

A dyma Noemi'n ufuddhau, druan ohoni, a sŵn ei thrâd yn wafftio'n dawel fel rhai balerina ar hyd y coridor. Dyw hi byth yn cwyno, byth yn ochneidio, dim ond ildio i'w gwaith yn dawel a diffwdan. Un fel'na yw hi.

'Nuuurse! Ewgondeforwot?!'

Iesu mowr. Ma fe fel blydi todlar. Licen i ga'l pum muned wrth erchwyn ei wely, jyst i fi ga'l dweud fy nweud 'tho fe.

A beth yn *union* weden i wrtho fe?

Weden i,

'Dyw oedolion ddim fod i fyhafio fel wyt ti, gwboi.

Ti'n hunanol. Ti'n sbeitlyd.

94

Ma staff y lle ma'n gwitho nes 'u bod nhw'n cysgu ar eu trâd, a shgwl ar y ffordd 'yt ti'n 'u trin nhw...'

Ond dyw geirie fel 'nny ddim yn teimlo hanner digon cryf i fi. Ma'n nhw'n teimlo'n wan. Pathetic. Bydde'n well i fi aros ble odw i. Cadw'n dawel a phido cynhyrfu.

Rwy'n gallu clywed nhw'n siarad â'i gilydd nawr. Ma' llais Noemi'n dawel ac yn bwyllog. Yn amyneddgar. Ond ma Jordan i'w glywed yn blaen, wrth gwrs...

'Woss the problem, 'en? All I want is for you tyh wheel me to the soddin' day-room window!'

Dyma Noemi'n ateb, yn dawel a phwyllog o hyd; rwy'n cymryd, o wrando ar dôn ei llais, ei bod hi'n dal ei thir. Ond sai'n credu bod Jordan yn rhy hapus 'da beth mae'n ei glywed...

'Woss the matter with you, you stupid bint?... S'not like I'm askin' tyh smoke in the middle of the soddin' ward, is it? 'Course the smoke's not gonoo blow back in the buildin'! I gorroo 'ave a fag, an' I know my rights as an ex-serviceman!'

Cachu rwtsh. 'Na be ti'n siarad fan'na, boi. Cachu. Rwtsh.

Ma Noemi 'di mynd yn dawel. Yn rhy dawel. O, na. Paid. Paid â llyncu'r dwli 'na! Gad i'r jawl odde heb 'i sigaréts. 'Yf fi 'di goffod neud!

'S'better,' medde Jordan.

Dere mlân, Noemi, paid ag ildio iddo fe! Ond mae'n berffeth amlwg erbyn hyn, o'r hyn 'yf fi'n gallu 'i glywed, fod cader olwyn yn ca'l ei gosod iddo fe.

Damo ti, Noemi. Smo'r boi'n haeddu ffafre fel hyn.

Wooow nawr!

Gad hi fan'na!

Ma rhaid i fi stopo gwylltu, er mwyn y nefo'dd. Er mwyn fy hunan. Dere. Paid â gadel i ryw fwlsyn fel Jordan godi natur ynot ti...

...Ma geirie fel 'mwlsyn' yn helpu'r achos. Diniwed. Gogleisiol. Erbyn meddwl, tasen i'n gorfod darlunio 'mwlsyn', shwd un ei olwg fydde fe? Rhyw slingyn tene, tal, yn benelinie i gyd, â gwallt powlen bwdin a'r ffrinj dros ei lyged.

Ha!

Hahahaha!

Ie. Ma geirie fel 'mwlsyn' yn rhai da am liniaru tymer. Am wneud gwrthrych y llid yn llai o beth.

Ma'r ffenest ma Jordan isie ei defnyddio i smoco drwyddi yn yr ystafell gyffredin, ryw ddwy stafell i lawr o'n ward i, sy'n golygu ei fod yn gorfod mynd heibio'n drws. O bell, rwy'n gallu clywed rhyw syne metalig, ymadroddgar yn llenwi'r aer,

Ting... clic. Ting... clic.

Ac rwy'n nabod y sŵn yn iawn. Ma rhywun yn chware â chlawr ei daniwr Zippo. Mae'n dod yn nes.

Ting... clic. Ting... clic.

Rw''n codi ar fy ishte ac yn straenio i glywed mwy. Mae'n swno fel bod un o olwynion y gadair angen dropyn o olew. Ac ife sŵn trâd melfedaidd Noemi 'yf fi'n ei glywed hefyd, yn ei wthio'n ufudd.

'*We wait for second, Jordan, for me to get file from desk,*' medde

Noemi, wrth iddi barcio Jordan ger derbynfa'r ward sydd yn union ddrws nesa i fy stafell.

'*Don't 'ang about 'en!*' ma Jordan yn gweiddi ar ei hôl. '*I'm gaspin.*'

Ting… clic…

Galla i weld rhan isa coese Jordan o 'ngwely. Ma'r ddwy mewn plaster hyd eu penglinie.

Ting… clic. Ting…

Saib.

Ma Jordan wedi stopo chware 'da chlawr y Zippo, a rhywsut rwy'n gwbod fod ei chwilfrydedd wedi mynd yn drech nag e. Rwy'n clywed y brêc ar yr olwyn fowr yn clicio'n rhydd, ac ma Jordan yn gwthio'i hunan i 'ngolwg. Yn araf, araf, fel rhyw Commando yn hela'i brae…

…Ac yna, o mlân i am y tro cynta, ma Jordan, y cyn-filwr, yn ei holl ogoniant. Ond nid fel o'n i 'di ei ddychmygu o gwbl. Sdim arlliw o datŵ yn agos at ei freichiau na'i ddwylo. Do's 'dag e ddim gwddwg fel colofn goncrid, ac nid yw ei wallt wedi'i siafo'n fat gwrychog byr ar ei ben. Ond rwy'n nabod y lliw haul o botel, y gwallt gole 'da strîcs. Rwy'n nabod y dwylo fel pry cop, y breichie fel coese twrci. Rwy'n ei adnabod e, ac mae e'n fy nabod inne… Ac ma 'na rywbeth – rywun – arall 'fyd. Ar ei ysgwydd dde, ma rhyw greadur bach bochgoch yn ishte, yn biwis ac yn boeth ei olwg; nid cweit yn ddynol, na, ond mae'r bod bach yn awgrym o rywbeth dynol. Rhyw *hanfod*? Sai'n gwbod.

Ma dwylo pry-copiog Jordan yn cau'n wyn am freichie'r

gader, a'm rhai inne'n cau'n ddyrne. Ry'n ni'n dechre sgyrnygu ar ein gilydd…

Ma'r gwâd yn dechre pwmpo fel haearn tawdd…

Ac ma Carwyn yn dringo i eistedd ar fy ysgwydd.

Y DIHANGWR

SAFODD HYD AT ei fola yn y ffrwd glaear, gyda'r dŵr yn llepian yn erbyn ei esgidiau hirion. Tarfwyd bob hyn a hyn ar ddistawrwydd y nos gan gri arallfydol y ci cadno, neu grawc cras y crychydd wrth iddo esgyn i'r awyr i chwilio am bysgodfa amgen. Yn yr afon, credai'r pysgotwr ei fod ar drothwy'r arallfyd. Fel petai'n arwain cerddorfa'r gwyll, cododd ei wialen, dro ar ôl tro, yn bendiliog, rhythmig, hypnotig, ac yna fe'i taflai ymlaen fel chwip, gan osod yn ddeheuig y bluen fachog, bert, ym mlaen y pwll.

Yn y pellter, gwelai oleuadau ceir y ffordd fawr yn trywanu'r garthen serennog uwchben fel llafnau. Gwelai hefyd, pan edrychai'n ysbeidiol dros ei ysgwydd er mwyn sicrhau nad âi'r bluen i drybini ym mrigau'r coed, oleuadau pefriog y fferm, ei hen gartref, yn bresenoldeb trydanol y tu ôl iddo. A ffermydd a chartrefi eraill yn ogystal, oll yn chwydu eu bodolaethau disglair i'r nos. Ac yn y pellter, fel smotiau orenwyn yn pelydru trwy ridyll y gorwel, goleuadau'r dref a eisteddai'n goron ar fryncyn yn y dyffryn. Ond er i arwyddion ymwthgar y ddynolryw fynnu eu lle, roeddent yn anweledig iddo pan âi i bysgota a chael ei hun yn rhan o'r afon. Yno, fe deimlai ei fod mewn byd cyntefig. Teimlai ei hun yn rhan o wead y wlad yn ei phurdeb dirgel a phethau dyn yn anwybyddus. Efe *oedd* y crychydd, y garan, yn sylwedydd disymud yn aros ei dro i daro. Wrth gnoi cil, safai yn y dŵr, yn llonydd ac effro, gyda phob terfyn nerfol wedi ei gynhyrfu. Ei synhwyrau oll wedi eu hogi. Teimlai yr un gwefrau ag a deimlodd am y tro cyntaf ryw ddeugain mlynedd ynghynt.

Yn erbyn cerrynt yr afon, yn anfoddog o dan law y pysgotwr y daeth y bluen yn ôl ato, a'r abwyd heb swyno'r un pysgodyn eto. Chwipiodd e'r wialen yn ofalus y tu ôl i'w gefn, gan dynnu rhagor o linyn o'r rîl â'i law chwith ar yr un pryd, a'i dorchu'n gymen yn y llaw honno gyda phob tafliad o'r wialen â'i law dde. Ar ôl iddo farnu bod ganddo ddigon o linyn llac yn ei law, dyma'r pysgotwr wedyn yn ei ollwng o'i afael gyda'r tafliad nesaf, gan beri i'r llinyn a'r blaenllinyn grymanu'n fwa godidog uwchben yr afon, a'r bluen yn glanio unwaith eto'n ddiymhongar ar ben llifeiriant y dŵr. Teimlodd falchder mawr yn ei gywreinrwydd ei hun. Yr oedd wedi taro'r targed a roddodd iddo'i hun, a hwnnw'n sgwâr yn ei lygad. Roedd yn feistr ar ei gamp.

'Nage *fan'na* o'ch chi mo'yn i honna fynd,' daeth llais cyfarwydd i'w glyw. Llais y gwyddai'r pysgotwr oedd yn perthyn i'w ddychymyg yn awr. Llais dwfn a phwyllog, ond un a feddai ar ryw dinc nawddoglyd hefyd. Rhyw ymagwedd a wyddai'n well.

Ac oedd, roedd y llais yn iawn. Erbyn iddo feddwl eto, gwelodd fod y bluen wedi ei thaflu ychydig yn rhy gwta i flaen y pwll, a phenderfynodd y pysgotwr ddwyn ei linyn yn ôl ato. Trodd y rîl yn gyflym er mwyn ceisio eto, ac wrth wneud, tybiodd hefyd ei fod wedi clywed aroglau braf tybaco, yn gydymaith i'r llais, a hwnnw wedi ei gynnau'n ffres mewn cetyn. Yn ogystal â meluster y mwg, daeth gwynt cyfarwydd arall yn ysgafn i'w ffroenau, yn gyfuniad penfeddwol o hen dail gwartheg ar got hela, sgleiniog fel gwêr. Arogleuon cyfarwydd, arogleuon bore oes. Ond am ennyd yn unig y'u profodd. Fflachiodd y sawr drwy ei synhwyrau ac yna diflannu, a'r un modd y geiriau. Ar amrantiad, diflannon nhw'n goctel atgofus wrth ymuno ag aroglau yr afon gyda'r nos.

Slawer dydd, buasai perchennog y llais a glywodd wedi cydio'n ddarbwyllog yng ngharn y wialen bysgota a dangos i'r pysgotwr bach sut oedd castio llinyn yn iawn, a thrwy ei anadl darllyd wedi cynnig ei gyngor yr un pryd. Cofiai'r pysgotwr sut, pan oedd yn fachgen, yr eisteddai yng ngŵydd Dyn y Cetyn am oriau, yn gwrando arno ac yn ei wylio'n gwau mwydyn ar fachyn, neu'n clymu bwndel anaddawol o blu a gwlân ar feis i greu'r abwyd mwyaf godidog a welodd neb erioed; trôi lindysyn salw ei ddefnydd craidd yn wyfyn angheuol i'w roi i ehedeg ym mherfeddion nos. A chyda bysedd mor gelfydd eu medr, er gwaethaf eu maint, dangosai Dyn y Cetyn i'r cyw bysgotwr sut oedd clymu bachyn wrth linyn gan ddefnyddio'r clymau pysgota mwyaf dyrys. Y Cwlwm Rhwym. Cwlwm y Crogwr. Ac am ddyddiau, ni allai'r pysgotwr ifanc ddod i ben â'u clymu'n iawn, ni waeth mor daer y ceisiai. Ond, fel rhywun yn llwyddo i ddysgu sut i jyglo peli, fe wawriodd arno'n ddisymwth. A dyna'r crwtyn wedyn yn medru clymu bachyn wrth linyn gyda'r gorau. Gwenodd Dyn y

Cetyn yn dawel pan welodd hyn, ond ni chynigodd yr un gair o ganmoliaeth, dim ond dweud wrtho, â phefr yn ei lygaid,

'Bachan. Beth gadwodd ti, 'te?'

Am flynyddoedd wedyn, âi Dyn y Cetyn a'i brentis ifanc yn aml i'r afon er mwyn i'r llanc gael hogi ei alluoedd fel pysgotwr cyflawn. Eisteddent weithiau ar geulannau mierog, â dwy wialen yn ymwthio'n llechwraidd dros y dŵr, ill dwy â'u llinynnau wedi eu harfogi â mwydyn rhwyfus yr un. Cyhwfai mwg tybaco Dyn y Cetyn fel arogldarth drostynt yn eu cuddfannau, a phesychai ef weithiau gan beri i flaen y genwair grynu'n fradychol. Gwylient eu llinynnau neilon yn diflannu i wyneb tymhestlog, gwinau yr afon yn ei llifddwr, yn y gobaith y deuai sewin neu eog o hyd i'r danteithion bachog. Brydiau eraill, aent ar nosweithiau ym misoedd yr haf fel dau asasin i ganol yr afon, wedi eu harfogi â'u gwialenni pysgota plu. Iddyn nhw, dyna oedd y pysgota gwirioneddol; barn Dyn y Cetyn oedd mai tamaid i aros pryd oedd pysgota â mwydyn, neu droellwr llachar. Pysgota â phluen oedd y wobr, yr hyn yr edrychai ymlaen ato bob tymor. Disgrifiai y gwialenni pysgota plu gorau fel offer Rolls Royce y gamp, ac fel Ffordyn y wialen droelli ragoraf. Y noson honno, ac yntau'n castio ei linyn i'r gwyll, dro ar ôl tro, cofiodd y pysgotwr am sut ddysgodd Dyn y Cetyn iddo glymu ei blu ei hunan ar feis afloyw ei dad-cu yntau, ac am sut y datblygai mewn dim o amser yn fedrus wrth y grefft honno. A'r enwau bendigedig a feddai'r plu hynny; *Camberwell's Glory*; Y Diawl Bach; Coch y Bonddu.

Âi munudau hirion heibio heb fod y naill na'r llall yn yngan gair wrth ei gilydd uwch wyneb y dŵr. Ni theimlai'r pysgotwr ifanc hynny'n beth rhyfedd, oherwydd fe glywodd unwaith gan rywun mai'r rhai hynny sydd fwyaf cyfforddus yng nghwmni ei gilydd yw'r rhai sy'n siarad leiaf â'i gilydd. Bodlonodd wedyn ar arferiad a fu, tan hynny, yn benbleth iddo. Ond nid oedd Dyn y Cetyn yn un am glebran; roedd yn un darbodus â'i eiriau, ac yn aml iawn, nid oedd yn bosibl ennyn mwy nag ig ohono os nad oedd yn yr hwyl i sgwrsio. Hoffai'r llanc gysondeb hwyliau y dyn yn fawr. Ac ar yr adegau hudolus hynny pan gydiai'r hwyl ymgomio yn Nyn y Cetyn, eisteddent am yn hir ar lan yr afon, gyda'r oedolyn yn hel atgofion am ei blentyndod yntau. Am sut yr oedd cymaint mwy o bysgod yn yr afon, ac am sut yr arferai ddal rhyw chwech neu saith sewin swmpus bob bore cyn dychwelyd â nhw i'r ffermdy. Câi wledd o frecwast wedyn ar y brithyllod bychain a ddeuai i'w ran hefyd gyda physgota'r bore. Gwerthu'r sewin a wnâi. Clywai'r llanc am yr adar diflanedig yr arferai Dyn y Cetyn eu gweld a'u clywed pan oedd yntau'n blentyn, fel y gylfinir a rhegen yr ŷd, a gadwasai'r teulu cyfan ar ddi-hun gyda'u sŵn di-baid ar nosweithiau tesog o haf. Adar a aeth yn gyntaf yn brin, wedyn yn ddistaw, wrth i'r tractorau, y belars a'r cynaeafwyr gynyddu ar y tir. Gyda chynnydd amaeth diflannodd yr adar; roedd Dyn y Cetyn yn gwbl ymwybodol o hynny, ond penderfynodd beidio ag ysgwyddo unrhyw fai am hyn. Dyna fel yr oedd hi. Roedd angen eu bwyd ar y bobl, onid oedd?

Gwenodd y pysgotwr yn dawel iddo'i hun wrth gofio'r dyddiau hynny yng nghwmni Dyn y Cetyn. Dychwelodd rhyw ddiniweidrwydd cynnes ato, gan beri iddo deimlo'n fodlon ei fyd am ychydig. Wedi ei wreiddio. Ac mor wahanol i sut y teimlodd pan adawodd y tŷ rai oriau ynghynt, gan wybod y byddai'r weithred o gau'r drws ar ei ôl yn achosi chwa a fyddai'n dymchwel rhai o'r fyddin welw o gerdiau cydymdeimlo ar y seidbord. Y bore hwnnw, derbyniodd ym mewnflwch ei gyfrifiadur broflenni'r taflenni angladd a fyddai'n cael eu dosbarthu yn y capel ymhen tridie. Credai tan hynny ei fod wedi dygymod â'i golled yn ddewr, yn urddasol. Credu ei fod wedi rhoi trefn ar ei simsanrwydd ei hun. Ond pan welodd y ffotograff, ar flaen taflen y gwasanaeth coffa, a'r newydd ymadawedig yn edrych yn ôl arno, yn gwenu'n fyw, fe sylweddolodd nad oedd hynny'n wir, a chollodd bob awydd i'w wirio. Gorchwyl yfory fyddai hwnnw. Yn lle hynny, aeth i'r cwtsh dan staer i gyrchu ei offer pysgota, ynghyd â'r dillad priodol.

Oriau wedyn, wrth iddo ymgolli yn ei feddyliau yn yr afon, torrwyd ar ei ddelwi gan sŵn crafu y tu ôl iddo, rywle ar y lan. Wedi iddo weindio'r llinyn pysgota yn ôl i mewn, cododd dorts o'i boced gan anelu'r golau tuag at darddle'r sŵn, ac fe welodd nad oedd ar ei ben ei hun. Y tu ôl i'r cwdyn pysgota cynfas a adawodd ar y gyffordd rhwng y gro a'r pridd, medrai'r pysgotwr weld rhyw arian byw o greadur, un na allai aros yn llonydd wrth iddo geisio dod o hyd i wendid yn nefnydd y sach. Trwy'r gwybed a'r gwyfynod a ymgasglodd yn reddfol yn y goleuni, medrai'r pysgotwr weld bod yr anifail bach yn un digywilydd, a diflino. Dyna lle'r oedd, yn palu yn y gobaith o greu twll yn y cwdyn. Wythnosau ynghynt, rhoddwyd dau sewin i'w cadw ynddo yn ystod noson hir o bysgota, ac roedd eu sawr yn gryf o hyd. Dyna oedd yn danfon yr anifail eofn o'i gof, addewid y câi fwyd.

Fel petai e wedi synhwyro bod ganddo wyliwr, ymataliodd yr anifail am ennyd, gan syllu yn ôl i gyfeiriad golau'r tortsh. Gwelodd y pysgotwr ddau lygad craff yn edrych i'w gyfeiriad, yn llosgi'n aflonydd ym mhen y bod gwencïog. Gwyddai'r dyn yn iawn pa anifail a oedd yn gwneud y drygioni. Dosbarthwyd cyfarwyddyd eisoes gan glybiau pysgota'r ardal, yn erfyn ar eu haelodau i ddifa pob un ohonynt, pe deuent ar eu traws. Yn ei lifrai du godidog, ailafaelodd y minc yn ei waith crafu a chnoi.

Ni wyddai'r pysgotwr beth i'w wneud. Nid oedd am ladd yr anifail, nac am ei niweidio o gwbl; mewn gwirionedd, roedd yn lled edmygus ohono am ei fod wedi dianc rhag ei ffawd, ffawd a olygai orwedd yn gelain o gwmpas gwddf rhyw weddw waddolog neu'i gilydd. Ond nid oedd am iddo ddifetha ei offer chwaith, a barnodd y byddai'r minc yn creu twll angheuol yn nefnydd y sach yn fuan iawn. Er hynny, byddai unrhyw symudiad a wnelai tuag at y dihiryn yn golygu y byddai'r pysgotwr yn aflonyddu dŵr yr afon, gan ddychryn pob pysgodyn a allai fod yn y cyffiniau. Edrychon nhw ar ei gilydd, y naill yn orfoleddus a thalog, y llall mewn penbleth, cyn i'r minc fwrw iddi unwaith eto'n ddistrywgar. Mor ddisylw ag y medrai, plygodd y pysgotwr i lawr yn dawel, gan roi ei fraich yn y dŵr. Gwlychodd ei siwmper hyd at ei gesail wrth ymbalfalu am garreg lefn o wely'r afon, a llwyddodd i lenwi ei fotasau â dŵr yn ogystal wrth blygu ychydig yn rhy bell. Cododd yn ôl yn ddistaw, anelodd, yna taflodd y garreg yn daflegryn. Wrth i'r boblen daro'r lan yn agos i'r minc, gyda gwich neidiodd y creadur yn ôl mewn syndod, gan edrych wedyn i gyfeiriad y dyn a safai o hyd yn anghysurus yn y dŵr. Edrychodd yr anifail arno fel petai'n ynfytyn. Fel petai wedi torri ar draws ei waith yn ddiangen. Gan wfftio'r llabwst yn yr afon, troes y minc yn ôl at ei orchwyl.

Doedd dim amdani. Ceisiodd y pysgotwr ruthro tuag at ei boenydiwr er mwyn ei ddychryn oddi yno, gan dasgu dŵr i bob man. Llwyddodd i godi ofn ar bâr o gwtieir cysglyd, a hwyaden unig, a dyma nhw'n ysgathru'n aflafar o'u clwydfannau. Roedd yr afon yn awr yn fwrlwm, a pho fwyaf y ceisiai'r dyn ymestyn ei gamau yn y dŵr yn ei ymgais i gyrraedd y lan yn gynt, arafaf i gyd yr âi. Esgynnodd y minc ar ei goesau ôl i'w wylio'n bustachu tuag ato. Gwelodd y pysgotwr hyn a gwylltiodd, a diflannodd mewn chwinciad y rhadlonrwydd a deimlodd tuag at yr anifail a oedd yn awr yn ei wawdio. Roedd am ei waed. Ymdrechodd i fracso'n galetach tua'r lan, ond gam neu ddau yn unig o fewn cyrraedd i'r lanfa ro, camodd ar garreg anwastad a syrthiodd am yn ôl fel morfil i'r dŵr.

Tynnodd ei hun yn sopyn i'r lan, gan wylio detholiad o fachau a phlu pysgota, a oedd wedi sarnu o'i siyrcyn yn ystod ei godwm, yn hwylio'n braf i lawr yr afon i gyfeiriad yr aber. Roedd y minc wedi hen ddiflannu. Eisteddodd y pysgotwr yno'n anadlu'n drwm, gyda'r dŵr yn oeri ar ei groen. Ac yna, yn dawel, daeth yr aroglau tybaco unwaith eto i'w ffroenau. Caeodd ei lygaid, anadlodd y chwa felys yn ddwfn, a theimlodd ei gysur yn ei gofleidio.

'Yr unig beth 'ych chi'n mynd i ddala heno yw annwyd, gwboi,' meddai Dyn y Cetyn yn ei glust, cyn i'w lais echdorri'n chwarddiad pesychllyd. Peswch a chwerthin nes ei fod yn brin o anadl.

'Wy'n gwbod, Dad...,' atebodd y pysgotwr, ac yntau hefyd yn wan gan chwerthin.

Ar ei eistedd ar y graean, chwarddodd yn hir yng nghwmni ei atgofion am Ddyn y Cetyn. Ac yna, cododd ar ei draed, cydiodd yn ei wialen a'i gwdyn cynfas, ac aeth adref, gyda pharth yr afon eto'n llonydd ar ei ôl.

TARTH
WAUNGRANOD

AR YR OLWG gyntaf, pan ddaeth y labrwr William
Llywelyn ar ei draws ger Pont Glangwili y bore Sul
hwnnw, nid oedd modd ei adnabod. Dim arwydd i ddweud
wrth bobl pwy y dylent fod yn ei alaru, pa un o'u brodyr
meidrol a orweddai yno'n oer ar y cledrau, a'i ben clwyfedig
yn wynebu i gyfeiriad Bronwydd. Ni ddarganfuwyd
unrhyw beth yn ei feddiant y bore hwnnw, ond am bensil,
hyd o gortyn wedi'i weindio'n dynn, a thaleb banc wythnos
oed o'r National & Provincial gwerth saith deg punt mewn
poced gudd yn ei got fawr, foethus o ddu, a'r got honno wedi
ei llusgo'n amdo dros ei war a hanner ei ben. Gorweddai ei
bowler hat, a eisteddai, tan hynny, rywfaint yn llac am ei
ben, ychydig ymhellach i lawr y cledrau, wedi ei dwyno â
rhwyg waedlyd.

Gorweddai'r dyn â'i wyneb am i lawr, â golwg
dangnefeddus arno. Yno, yn amlwg yn y gro olewog
rhwng trawstiau'r rheilffordd, yr oedd cafnau hir, yn dyst i
farwolaeth arw. Ni welodd y gyrrwr yr un bod ar y cledrau
oriau ynghynt.

Ar y daleb banc fe welwyd (pan ddaethpwyd o hyd iddi

gan y plismyn) enw a chyfeiriad: 'John Davies, Waungranod Farm, Pontynyswen, Llanegwad, Carmarthen'.

Saith deg punt. Cyflog hanner blwyddyn i lawer un ym mil wyth naw saith. Mwy na chyflog blwyddyn i was yn Waungranod. Pan adawodd John Davies dref Caerfyrddin y cyfnos cynt, gadawodd heb yr un ddimai goch yn ei ddwrn, yr un mor ysgafn dan fwrn cyfalaf ag yr oedd pan gyrhaeddodd yno gyda'r bore. Ac nid aeth i'r dref dan gludiant ei ferlyn a'i drap ei hun y Sadwrn hwnnw. Wedi iddo gerdded y tair milltir hawdd o'r fferm i sgwâr Nantgaredig, cyfarfu ar hap â David Harries, Penllwynau, pan yrrodd yntau heibio. Amneidiodd John Davies ar ei gymydog i dynnu ei gerbyd draw.

'Popeth yn iawn 'da chi, Davies?'

'I ble'r ewch chi, Harries?'

'Ar neges i'r dre. Hoffech chi ddod 'da fi?'

Ni allai John ei ateb yn syth. Nid oedd yn sicr rhagor. Yr eiliad honno, yn flinedig dan gerdded, ni allai gofio beth oedd ei gymhellion wrth fynd ar droed i Gaerfyrddin, os y bu ganddo gymhelliad o gwbl. Ni allai roi trefn ar dymestl ei feddyliau. Roedd y tu mewn i'w ben mor darthog â gweunydd godre Waungranod ar fore hydrefol. Ni allai hyd yn oed gofio mai David oedd enw'r dyn a'i holodd o sedd y cerbyd, er eu bod yn adnabod ei gilydd ers amser maith. Dyna i gyd a wyddai pan ddeffrodd y bore hwnnw oedd bod yn *rhaid* iddo fynd i'r dref.

'Davies?' gofynnodd Harries yn amyneddgar. Gwyddai

eisoes nad oedd John Davies yr un dyn ag y bu. Gwyddai ardal gyfan hynny.

'Hoffwn...'

'Dewch 'te, ddyn. Lan â chi.'

Ymestynnodd Harries ei law er mwyn i'w gymydog gael esgyn i sedd y trap.

Am funudau hir, yn ddisiarad y teithiodd John Davies wrth ochr ei gymwynaswr. Yn fud yr eisteddai yno, a'i olygon ar ei ddwylo, a'r rheiny'n gorwedd fel rhofiau rhydlyd yn ei gôl; cyn dewed ei fysedd fel na allai eu plethu'n iawn â'i gilydd. Myfyriodd ar waith oes ei ddwy law a fu'n daclau ei fywoliaeth; y godro, y plygu perthi, y cneifio, y carthu, y lloia a'r wyna. Astudiodd y creithiau arnynt hefyd, creithiau llifiau, bilygau, geingiau, bwyeill a drysni. Roeddent yn dirlun o rychau tywyll, yn llawn tail yr oesoedd; gweoedd halog. Y rhain oedd y dwylo a godai gywilydd arno pan ddyrchafai ei lyfr emynau dilychwin o'i flaen bob Sul yn y cwrdd. Ac am ddwylo anystwyth dan wynegon, yn dda i fawr ddim rhagor ond codi dysgleidiau o de, neu dynnu bollt i gau gât. Heddiw, roedd ei gymalau'n gytgan o lid.

'A shwt ma Ifan 'da chi heddi, 'te, Davies?' Ceisiodd Harries dorri ar y distawrwydd. A chyda hynny dychwelodd y goleuni i ymennydd John Davies yr un mor ddisymwth ag y bu iddo ddiflannu. Deffroad. Roedd ffagl deallwriaeth wedi ei chynnau eto. Gobeithiai am ddiwrnod gweddol.

'O, ma Ifan yn iawn, diolch, Harries. Digon bishi, ontefe.'

Cydnabu John Davies yn dawel mai ei fab, Evan – yr unig blentyn a ddeilliodd o'i briodas â Lydia – oedd ffermwr Waungranod bellach, nid efe. Roedd y broses ysbaddydol o drosglwyddo'r fferm wedi bod yn un hir ond roedd yn gyflawn erbyn hyn. Etifeddodd Davies lysfeibion pan briododd â Lydia, Richard a Daniel Thomas, dau lanc abl a chryf a ffermio yn eu gwaed a'u hanian, a bu'r ddau yn fendith iddo wrth ddod â gwrychoedd gorwyllt a ffiniau bylchog yr annedd newydd i drefn. Er hynny, John fyddai etifedd Waungranod. John a neb arall.

Gwyddai'n iawn mor drist yr ystyriai cymdeithas hen ffermwr a ysgarwyd oddi wrth ei fferm. Oni chlywodd ar hyd ei oes gymdogion a chydnabod yn sôn am hwn-a-hwn o ffermwr ymddeoledig fel un 'na fyddai'n byw yn hir'? Oherwydd y gefnfro unig honno o segurdod a ddilynai oes o brysurdeb? Nid oedd Davies am i'r un bod byw deimlo trueni drosto. Efallai nad oedd, yn drigain a phum mlwydd oed, yn grair o ddyn eto, ond roedd yn flinedig. Ac yn musgrellu. Teimlai fod ei gorff yn dechrau troi yn ei erbyn, diolch i flynyddoedd o lafurio, ac i'r gwaddol teuluol o fân drallodion corfforol a oedd yn awr yn amlygu eu hunain ynddo ddechrau ei frathu. Ac yntau bum mlynedd yn brin o gyrraedd oed yr addewid, cerddai fel hwyaden.

'Wrth y gwaith dyrnu mae e fynycha dyddie 'ma,' ychwanegodd Davies ymhen hir. 'Cywain y rhedyn 'fyd.'

'O'dd e draw 'co echddo,' meddai Harries, gan daflu bawd dros ei ysgwydd i gyfeiriad bras Penllwynau. 'Crwtyn syber yw'ch Ifan chi, Davies... crwtyn da. Gŵr bonheddig.'

Oedodd cyn gorffen ei bwynt. 'Bydde Lidi 'di bod yn browd iawn ohono fe.'

Dim ond fi gaiff alw Lidi arni, meddyliodd John.

Gwyddai John yn iawn ei fod yn arferiad gan ei fab i daro heibio i Mary Esther ym Mhenllwynau, a threfnwyd ei ymweliadau diweddar â hi drwy gydsyniad parod y ddau deulu, ac er i'r ddynes ifanc ennyn sylw gwŷr gobeithiol o sawl plwyf, bechgyn sgwriedig yn tywynnu â sglein *coal tar*, wedi eu danfon ati ar eu pererindodau moesymgrymol gan rieni ymwthgar, teimlai teulu Waungranod yn hyderus y byddai yna briodas foddhaol ryw ben.

Ystyrid y teulu Harries yn bobl fawr yn eu hardal, a lled gefnog, meddid. Roedd gan David Harries frawd disglair, yr enwog T J Harries Oxford Street, a oedd yn berchennog ar un o siopau 'drepar' mwyaf adnabyddus Llundain, ac roedd ei gyfoeth bron yn achos embaras i'w dylwyth. A chan na fu sôn am wraig na chariad yn ei gylch erioed, onid oedd yn rhesymol meddwl y byddai cyfoeth y gŵr hwn yn bwydo yn ôl i goffrau'r Harriesiaid ryw ben? Oedd, roedd John Davies yn fwy na bodlon i weld ei fab yn ymweld â Mary Esther Harries. Teulu arobryn i briodi i mewn iddo. Dyna pam y dioddefai Davies gyhyd gwmni dyn mor aruchel ei ffordd.

Cofiai John Davies, a oedd ryw bymtheng mlynedd yn hŷn na'i gymydog, y David Harries iau. Y llanc hoffus a diymhongar, wastad yn barod ei gymwynas. Ond yn awr, un go ffroenuchel oedd yn sedd ei drap, a'i ymagwedd unionsyth; roedd y dyn yn hysbys i bawb a'i gwelai. Teithiai o hyd â'r merlyn mwyaf golygus a sionc yn osgeiddig o'i flaen, a thrap newyddaf y dydd yn orsedd iddo. Trigai ar un o ffermydd mwyaf ei fro; annedd gyfforddus a fu'n gartref, yn yr oes a fu, i feirdd. Ac yn waeth na'r un dim arall amdano, aeth yn sobor o barchus – a ffuantus o ddiymhongar – fel diacon i'r cwrdd gyda'r Methodistiaid yn Nantgaredig bob Sul. Yn dduwiol a da, âi yno'n was i'w ddyngarwch.

Ni ddeuai dim o enau Harries a fyddai'n peri i bobl feddwl amdano fel crechyn. Roedd yn rhy graff a hunanymwybodol i hynny. Ond roedd ei ymarweddiad yn ddigon ynddo'i hun, ac nid oedd posibl celu hwnnw. Ac yn dawel bach roedd am fwynhau ei lwyddiant. Fel hyn y dylai ffermwyr yn yr oes gyfoes ymddwyn, yn sgil pyliad y landlordiaid mawrion. Gwelai'r to newydd eu gorwelion yn ehangu. Byddai'r cynhaeaf yn llawer mwy toreithiog iddynt o hyn ymlaen.

Nid felly y dyheai John Davies rhagor. Roedd yn rhy hen. Ond dymunai am i Evan wneud. A chadwai John gwmni David Harries yn barod iawn at y diben hwnnw.

'Diolch, Harries,' meddai John Davies wrth ddisgyn, yn griciau i gyd, i'r palmant ar Heol y Priordy.

'Ddim o gwbl, Davies. Falch bo fi 'di gallu neud cymwynas â chi.'

Gyda chlec falch ar ei chwip, hysiodd Harries ei ferlyn i gyfeiriad eglwys San Pedr. Taflai o hyd amlinelliad hunanbwysig yn erbyn haul y bore yn ei drap. Harries a'i unionsythder. Harries a'i chwip.

Nid oedd John am i'w gymydog feddwl ei fod am fynd i ddiota; dyna pam y gofynnodd iddo ei ollwng ymhell o olwg unrhyw dafarn. Ond nid oedd yn argyhoeddedig mai dyna yr *oedd* am ei wneud; ni allai gofio o hyd. Teimlai ei fod yno, yn y dref, heb yr un diben. Trodd ei olygon yn ddifeddwl i lawr y stryd, a dyna ble y'i gwelodd. O bell. Ie, o bell, ond *hi* oedd hi. Ymddangosodd a diflannodd ar amrant; un eiliad, yno, yn un o'r bobl yn brithio'r palmant, a'r nesaf, wedi diflannu eto. Symudai heb symud. Rhyw ymlithro ar ei hawel ei hun. Ac yna, cododd ei llaw arno, ond nid i'w gyfarch chwaith. Ac nid edrychodd arno; edrychai'n syth i'w gyfeiriad, ond hoeliwyd ei sylw ymhell y tu hwnt iddo. Yn wir, edrychai drwyddo.

Lydia.

Ei Lidi.

Ei wraig a fu farw naw mlynedd yn ôl.

Edrychodd John o'i gwmpas, mewn ymgais i ddarganfod a fu i unrhyw un arall – rhywun a fyddai yn ei hadnabod – weld ei ddiweddar wraig eto'n fyw. Hanner eiliad. Hanner eiliad, dyna i gyd, ac roedd hi wedi mynd erbyn iddo edrych yn ôl i'w chyfeiriad. Nid oedd yno rhagor.

Os bu hi yno o gwbl.

Dychwelodd cymylau dryswch i amdói ei feddyliau. Cododd John Davies ei *bowler hat* a chrafu ei ben. Roedd yn barod am ei ddiod.

'Gymerwch chi'r un peth eto, John Davies?' gofynnodd landledi y New King George Inn iddo, oriau wedyn y prynhawn hwnnw. Roedd Margaret Evans yn ei adnabod yn dda ers blynyddoedd. Ond yn ddiweddar, fe sylwai ar ddirywiad yn yr ymddygiad amhendant fu'n melltithio'r dyn yn y misoedd diwethaf. Ei ddryswch cyffredinol. Ond sylwodd hi ar rywbeth gwahanol ynddo heddiw. Ei olygon pell. Ei bensyndod.

'Dewch â sgotsyn bach i fi, Ma'gret,' gofynnodd John.

'Wy wedi rhoi un o'ch blân yn barod,' atebodd hi.

Dros y degawdau, arferai John alw am ddiferyn bach llechwraidd yn y King George ar bob diwrnod mart, pan arferai fasnachu ym marchnad da byw Caerfyrddin. Yn y diwrnodau cynnar, ni allai aros i daflu sgotsyn bach i lawr ei geudwll yng nghwmni amrwd ei gydyfwyr – y ffermwyr, y gweision, y masnachwyr, y delwyr, yr arwerthwyr – a wnâi i'r dafarn ddrewi fel buarth tomllyd. Ond bryd hynny ni allai lwyr ymlacio yn ei ddihangfa, gan y cadwai olwg ysbeidiol ar y sawl a ddeuai i mewn ac allan o'r dafarn yn ystod y dydd, rhag ofn yr âi'r gair am ei dancio i grwydro'n ôl ar awelon anhysbys, dros y dolydd i gyfeiriad Pontynyswen. Ni fyddai'n dda wedyn. Llytrewog fyddai'r aelwyd pe deuai Lydia i wybod. Lidi. A'i phregethu. Ac yna'r cyfnodau hir o wrthod siarad â'i gŵr y tu hwnt i ambell air angenrheidiol. Ond roedd Lidi wedi mynd yn awr.

Yng ngwawrddydd ei fenter yr oedd Davies, yn ddiau, am wneud ei ffortiwn, er y tramgwyddai syniadau ariangar fel hynny ei grefyddoldeb hefyd; ei grefyddoldeb, ond nid ei Ryddfrydiaeth. Ar y boreau Sul hynny, pan wrandawai Davies, yn ddyn yn ei ugeiniau a'i dridegau, câi glywed mawrion hunanbwysig y pulpud anghydsyniol yn mawrygu'n boergar a thanllyd hawliau'r ffermwr i elwa o'i lafur caled ei hun, yn hytrach na dioddef diflaniad yr elw hwnnw i logell y landlord. Y sgweier. Y tirfeddiannwr a wleddai'n fras ac annarbodus ar gefn bôn braich ei gyndadau. Pan glywai'r John Davies iau amdanynt – am eu dawnsfeydd dinesig yn Llundain, eu ciniawau rhodresgar, y peunod Seisnig na ymwelent â'u hystadau ond am brin ddeufis y flwyddyn – gallai deimlo ei waed yn berwi. Ond cynhesu wnâi ei eiddigedd hefyd; corddi wnâi ei genfigen...

...A dyna John wedyn, a'i eiddigedd a'i genfigen yn dwymyn dawel, o'r diwedd yn cael mynd yn ffermwr ar ddigon o deyrnas i frolio yn ei chylch. 'Waungranod'; Teyrnas y Crehyrod. Fferm a enwyd ar ôl cae. Nid y fwyaf o ffermydd yr ardal, ond lle digon ei faint; cynhyrchiol a chyfforddus mewn cilfach o gluniau a dolydd. Y cyfuniad cyfarwydd o'r gwastad a'r llethrog, y corsiog a'r crin. Y ffrwythlon a'r diffaith. Sir Gâr mewn microcosm. Gwir, byddai John a Lydia'n denantiaid o hyd, fel y buont yn Nhir y Cwm yn union ar ôl priodi, ond o gael gafael ar Waungranod, dyma gam sylweddol er gwell. Cynnydd. A chofiai Davies yn aml am y diwrnod mawr hwnnw, gwta ddwy flynedd ar ôl mynd yn ffermwr ar Waungranod, pan aeth yn falch at y dilladwyr gorau yn nhref Caerfyrddin er mwyn iddynt ei urddo â siwt frethyn newydd, un a weddai i'r amaethwr llwyddiannus. Cofiai hefyd sut yr ymlwybrodd yn bwrpasol o araf heibio i holl ffenestri'r dref ar ei ffordd yn ôl i'w geffyl a thrap, er mwyn iddo gael edmygu ei hun yn dawel wrth fynd. Yn ei frethyn twid newydd yr oedd John Davies yn bictiwr o lwyddiant. Ac am ei ben, *bowler hat* sgleiniog ddu. Y diwrnod braf hwnnw, roedd John Davies yn geiliog.

'Dewch â glased bach i fi, 'te, Mag'ret,' mynnodd Davies ymhen deng munud. Teimlai'r syched yn ei feddiannu eto.

'Ac un arach… *arall*… i'r bechgyn 'ma.'

Dan gwrw, dechreuai ei leferydd ei fradychu, ond doedd dim ots am ei dafod tew gan y cwmni a gadwai y prynhawn hwnnw. Roeddent hwythau ill dau hefyd yn dioddef o'r un salwch. Dan y gwas, Charles yr ostler a Davies; y drindod dablen. Yn y New King George câi Davies fwynhau bydysawd ar wahân i'r un a brofid yn Waungranod; yr aelwyd sych-Fethodistaidd a grëwyd ganddo yno o'r newydd, lle trefnai Davies ei hun ddarlleniadau Beibl teuluol, yng nghwmni pob gwas a morwyn, ddwywaith bob dydd, bore a hwyr. Nid arhosai'r un gweithiwr yn hir o'i wirfodd yn Waungranod. Wedi'r darllen a'r gweddïo, arferai Davies fyfyrio wedyn yn y tawelwch ar yr hyn a ddarllenwyd ganddo y tro hwnnw yn y tudalennau trymion. Sugnai gig ei bryd yn wichlyd trwy ei ddannedd wrth dreulio ei lith. A chofiai fel y bu i'w dad yntau wneud yr union bethau hyn ar aelwyd ei febyd yn Llwyngwyn flynyddoedd ynghynt.

Yn y King George y câi ei ryddid erioed. Yn y King George y câi rwydd hynt i regi, ac i rechain, ac i yfed, heb fod Ysbryd Glân ei bentan yn gwgu arno. A theimlai weithiau, yn ei ryfyg meddw, y câi rannu sylwadau anweddus am fronnau ei westeiwraig, neu'i thin, fel rhyw farch baglog y plwyf. A châi wybod ganddi hefyd, yn ddigon di-flewyn-ar-dafod, nad oedd hi wedi ei phompio gan ei eiriau annoeth, a theimlai John gywilydd wedyn.

Fel arfer, byddai rhwyddineb amrwd y dafarn yn beth braf ganddo. Roedd ei ddau gyfaill ar eu gorau adloniannol y prynhawn hwnnw, gyda diniweidrwydd naïf y gwas, Griffith Thomas ifanc, yn ffynhonnell barhaus i dynnu coes eraill, yn gwbl ddiarwybod iddo ef, wrth gwrs. Aethai Charles yr Ostler, dyn garw ei fraich a'i dafod, mochaidd ei ymadrodd, i hwyl yn adlonni llond tafarn gyda'i ganu ac ymadrodd maswedd. Ond nid oedd John Davies yn ei hwyl arferol y prynhawn hwnnw. Ni chwarddodd lawer yn eu cwmni. Roedd ei sylw yn rhywle arall. Âi munudau lawer heibio pan na thorrai'r un gair â neb, dim ond syllu i wagle a wnâi, a'i olygon wedi eu hoelio ar orwel amhosibl.

Do, bu Lidi'n aflonyddu John Davies drwy'r prynhawn.

Wedi iddo ei gweld ar Heol y Priordy am y tro cyntaf y diwrnod hwnnw, dychwelodd hi i lenwi ei olygon o hyd ac o hyd, yn ffigwr unig na ymwnâi â neb o'i chwmpas. Fe'i gwelai weithiau'n llonydd mewn cornel, yn gwneud dim oll ond syllu yn ôl arno. Syllu *trwyddo*. Bryd arall, ymlithrai'n annifyr o osgeiddig ymysg yfwyr y New King George. Ac o hyd fe ddiflannai wedyn, am sbel, fel pe na bai wedi ymddangos o gwbl. Ond bob tro y byddai John yn ei gweld o'r newydd, byddai Lydia ychydig yn nes ato. Cynrychiolai pob ymddangosiad newydd ryw nesáu esbonyddol, a daeth yn amlwg iawn i Davies ymhen ychydig na welai hi efe o gwbl. Roedd ei sylw'n ddiganolbwynt, a'r llygaid, fu mor loyw o las yn y wraig fyw, yn awr yn byllau llwyd. Dienaid a difywyd.

''Co chi, Davies,' meddai Margaret Evans wrth ymestyn tri chwrw i gyfeiriad John a'i gydyfwyr. Cododd ei olygon i'w derbyn, ac yno roedd Lidi eto, ar ysgwydd y landledi y tro hwn. Yn agos. Ond â llaw waharddus wedi'i hymestyn o'i blaen. Edrychodd Davies yn gyflym i'r diferion gwlyb ar wyneb y bar, gan wybod y byddai Lidi'n diflannu.

Siglwyd Davies i'w graidd gan yr ymddangosiadau hyn. Ond, eto, nid oedd ofn arno, oherwydd fe wyddai'n iawn achos ei weledigaethau. Na. Nid oedd posibl i Lydia fod yno yn y dafarn. Nid *oedd* Lydia yno.

'Bydd rhaid i fi setlo 'da chi w'thnos nesa, Mag'ret... Os yw 'nny'n iawn, ontefe?' Ceisiodd Davies gymhwyso'i gais am ohiriad trwy wneud sioe fawr o ymbalfalu yn ei bocedi am arian y gwyddai'n iawn nad oedd yno.

'Dydd Sadwrn nesa, 'te, Davies,' atebodd Margaret, yn llwyr fodlon gan fod hwn yn hen, hen drefniant rhyngddynt. Fe wyddai hi'n iawn iddo gyrraedd ei thŷ heb geiniog yn ei bwrs, er na ddywedodd hi ddim wrtho i'r perwyl na châi yfed yno o'r herwydd. Dim gwahaniaeth; os oedd yna'r un peth a wnelai ef yn ddi-ffael, anrhydeddu ei ddyledion oedd hwnnw, ac er gwaethaf ei ddryswch meddwl, teimlai'r landledi'n sicr y gwnelai John Davies hynny eto ymhen yr wythnos.

Trodd John at ei ddau gyfaill. 'Wy am fynd, fechgyn. Lice

rhywun gwpla hwn?' Cynigodd y cwrw yr oedd newydd ei brynu, heb fod y ddiod honno'n ysgafnach o'r un dracht. Hyrddiodd yr ostler ei law fawr o dan drwyn Davies, a hawlio iddo'i hun gwrw'r un a oedd ar fin ymadael. Dringodd John Davies i lawr o'r stôl a bwrw'n sigledig am y drws.

'Carcwch eich hunan, John Davies,' gwaeddodd y landledi ar ei ôl. Cododd ei law arni, heb droi i'w chyfeiriad.

Y cyfnos cynnar hwnnw, cerddodd i gyfeiriad gorsaf drenau Caerfyrddin â Lidi'n llenwi ei feddyliau. Tan nawr, medrai Davies ei chonsurio yn ôl ei ddymuniad, ac ni phylai ei atgof ohoni yn ystod y naw mlynedd ers ei marwolaeth. Fe gofiai ei hwyneb yn eglur a manwl. Ei hosgo. Ei llais. Medrai John ei chofio ar alw. Ond roedd yr hyn a ddigwyddodd y Sadwrn hwnnw'n wahanol. Nid ymddangos trwy wahoddiad a wnaeth, ond trwy ei chymhelliad ei hun, ac nid ymgnawdoli fel y buasai John wedi dymuno ei gweld ychwaith. Y llygaid oer a'r croen cannaidd. Yr edrychiad anghysylltiol. Ei gwelwder. A chyda phob ymddangosiad, âi Davies i deimlo'n fwy simsan. Sylweddolodd hefyd mai'r Lydia iau, y Lidi a oedd yn perthyn i ddyddiau cynnar eu priodas, oedd yr hon a welai o hyd. Nid y wraig hŷn honno, ffaeledig a blinedig dan gystudd, a fu farw mewn llofft yn Waungranod. Y ddelwedd ohoni na chonsuriai ef fyth i'w feddwl.

Gwyddai Davies yn iawn fod Lydia yno'n gwylio tros ei ysgwydd pan fu'n rhaid iddo stopio i biso yn erbyn rheilins y Parade, a'r stêm yn codi fel o simdde ffatri yn yr awyr oer.

Ac fe deimlodd hi yno, yn cysgodi ei gamau, yng ngolwg y jael, a hefyd pan groesodd bont y Tywi wedyn, â'r sêr yn pefrio'n grynedig. Dechreuodd Davies deimlo ergyd yr holl chwisgi a chwrw a daflasai i lawr ei lwnc, a brwydrodd fel hwrdd i gadw at lwybr uniongyrchol, er gwaethaf mympwy annibynnol ei draed a'i goesau. Cerddai Lidi'n syth.

Pan gyrhaeddodd Davies y *refreshment room* yn yr orsaf maes o law, roedd y cyfuniad o aer oer ac alcohol wedi gadael ei ôl, ac ni wnâi'r ffwrnes afiach, yn gyfuniad o wres cyrff a thân glo, lawer i liniaru ar ei bendro. Ceisiodd archebu diod iddo ef ei hun, ond fe'i gwrthodwyd. Nid oedd am ddenu sylw'n ddiangen, ac yn hytrach na dechrau ymresymu â'r gweinydd, aeth i eistedd wrth un o'r byrddau ger y ffenestr, gan ollwng ei hun yn drwm i'r gadair bren.

Diferai anwedd anadl yr yfwyr a theithwyr yn gornentydd main i lawr pob ffenestr. Teimlodd Davies yn gysglyd. Caeodd ei lygaid am ennyd, gan anadlu aroglau'r glo a'r ager a'r tybaco'n ddwfn. Pesychodd ychydig. Ymdrechodd i ymddangos yn sobor. Trwy darth ei feddwdod, ceisiodd ffocysu ei lygaid ar yr unigolion a lenwai'r lle. Nid oedd am anwybyddu cydnabod cyfarwydd neu gymydog ar ddamwain; byddai ymddygiad felly'n siŵr o greu mân donnau yn ei gylch cymdeithasol maes o law. A bychaned y cylch fel y gallai un don fach droi'n storom fawr.

'Tro dwetha edryches i, sdim trên yn mynd h'ibo i Waungranod, o's e', ddyn?'

Safai un o'i hen gyfeillion, Wil Twm, y tu ôl iddo gyda gwên siriol yn goleuo ei wyneb, a rhoddodd ei law'n gynnes ar ysgwydd John. Roedd Wil Twm yn yr un cyfnod machludol hwnnw â Davies; hen ffermwr ym mhangfeydd ei ymddeoliad. Arferai amaethu fferm Clynllanau Uchaf ger Trefechan tan yn ddiweddar. Am flynyddoedd lawer cadwent gwmni i'w gilydd ar ddiwrnodau mart, neu adeg y gwahanol ffeiriau; Clamai, Nadolig, a'r ffeiriau hurio. Treulid y rhan helaethaf o'r dyddiau hynny ganddynt yn y New King George Inn. Arferai Davies alw'n fynych hefyd yn Clynllanau ar fusnes. I ffeirio hyrddod a theirw. I drefnu bod geist yn cael eu cŵn. Ac fel John, roedd Wil Twm yntau newydd drosglwyddo'r cyfrifoldebau ffermio i ddwylo ei fab.

'Whilo am gwmnïeth dda o'n i,' atebodd, 'ond bydd rhaid i *chi* neud y tro nawr!'

'Un eger y jawl fuoch chi erio'd, Defis!'

Roedd Wil Twm wedi hen arfer â hiwmor drygionus John Davies. Yr *hen* John Davies. Ac roedd yn falch o weld fod rhywfaint o'r hen ffraethineb i'w ganfod ynddo o hyd.

'Hoffech chi ddiferyn bach, John?'

'Caredig iawn, Wil Twm. Sgotsyn bach, 'te. Diolch.'

Trodd Wil i gyfeiriad y bar, a sylweddolodd Davies fod dim golwg o'i ddiweddar wraig. Edrychodd i fyny ac i lawr yr ystafell orlawn, a chraffu ar y corneli tywyllaf, ond nid oedd Lydia i'w gweld yn unman.

Ceisiodd achub ar y cyfle i bendwmpio am eiliad neu ddwy, tra aeth Wil Twm i gyrchu'r diodydd. Teimlodd lanw lleddfol cwsg yn dechrau golchi drosto, gydag yfwyr y *refreshment room* yn araf droi'n glytwaith o liwiau ymdoddedig, yn yr un modd ag a wna paent mewn dŵr wrth gael ei olchi oddi ar frws. Roedd Morffews yn agor ei goflaid i John Davies, ac roedd arno yntau ddirfawr angen i'w dderbyn. Ildiodd yn barod i'r gwahoddiad.

Ac yna, deffro gydag ysgytwad, eiliadau'n ddiweddarach. Deffrodd mor sydyn, nes teimlo'i galon yn pwnio'n boenus fel cic buwch yn ei frest. Teimlai'n benysgafn. Yn brin o anadl. Dryslyd. A fu rhywun yn ceisio siarad ag ef tra cysgodd? Wrth iddo ddechrau dod at ei goed, gwelodd fod Wil Twm wrth y cownter o hyd, yn aros ei dro, ond medrai Davies erbyn hyn deimlo presenoldeb rhywun wrth ei ochr. Yn gyfarwydd ac addfwyn.

'Poli,' datganai Davies yn fodlon a thawel. Heb iddo droi ei ben i wirio hunaniaeth y sawl a ddaeth i eistedd yn dawel y drws nesaf ato, fe wyddai'n iawn pwy oedd yno. Ei phresenoldeb yn gysur iddo. Ei hagosatrwydd yn gyfarwydd.

'John. Shwd ŷch chi?'

'Erio'd wedi bod yn well, Poli fach,' atebodd yn ysgafn. Nid oedd Davies am i hon ei weld yn ei wendid. Dim hon o bawb. Ni wyddai y bu Polly yn ei astudio tra cysgodd, a gweld ei wingiadau trydanol, anwirfoddol. Clywodd hefyd ei rwgnachu pitïol, fel pe bai'n profi hunllef.

Fe fu Mary Jones, a adnabyddid yn lleol wrth yr enw anwes 'Poli', yn un o forwynion sefydlog fferm Clynllanau Uchaf am gyfnod, cyn iddi ddychwelyd i'w bro enedigol, ychydig i ffwrdd yng Nghynwyl Elfed. Ond yn y dyddiau hynny pan oedd yn gyflogedig gan Wil Twm, fe welai

John Davies lawer arni, a deuai i'w hadnabod, mewn modd digon gweddus, y ferch ifanc heulog honno. Ac fe'i bachwyd ganddi. Heb yn wybod iddi, mi rwydodd galon John Davies gyda'i diniweidrwydd. Ei chwerthiniad. Bum mlynedd ar hugain yn ôl, pan oedd Poli'n ugain oed. Ni allai gredu i ble roedd y blynyddoedd wedi mynd; eu bod *wedi* mynd.

Teimlai Davies hiraeth ar ei hôl bob tro yr âi wedyn ar ymweliad i Glynllanau yn y dyddiau ar ôl i Poli adael gwasanaeth Wil Twm. Ond dros y ddau ddegawd a ddilynodd, fe'i gwelai hi'n aml yn nhref Caerfyrddin pan fyddai'n ddydd gŵyl neu'n ffair. Gwnâi ymdrech, ar yr esgus lleiaf, i fynd i Gaerfyrddin ar ambell Sadwrn, heb fod ganddo fusnes yno. A phob tro y cyfarfyddent, ni fyddai hynny drwy drefniant na dichelltro, ond treuliasai'r ddau oriau yng nghwmni ei gilydd, yn y dyddiau cynnar, gan fwrw eu hamser yn atgofio'n gynnes am ddyddiau hoff Clynllanau. Ac er mai John Davies a roddai ei galon yn ddiamod i'w hagosatrwydd maes o law, fe'i maldodid ef a'i ddiffuantrwydd gan Poli. Dros amser, tyfodd dyfnder dealltwriaeth rhyngddynt. Rhyw soniaredd. Ond ni fu erioed yn fwy na chyfeillgarwch annwyl i Poli, a gwyddai John hynny'n iawn, er i hynny ei glwyfo'n ddistaw.

Bu siarad, wrth gwrs, yn y blynyddoedd diweddar fod gan John Davies fenyw arall. Sïon yn y marchnadoedd. Isleisiau yng nghyntedd y capel. Clebr wast ar glos a buarth, ac yn y tafarndai. A phan glywodd Davies ar ddamwain am y sibrydion hynny, fe ddigiodd. Menyw 'arall'? byddai'n meddwl wrtho'i hun yn aml. Flynyddoedd wedi marw Lydia? Menyw 'arall'?

Diawliai Davies ei hun yn aml ei fod wedi cwympo mor barod i goflaid sur y Fethodistiaeth. Ie, sur, meddyliodd. Diawlied hunangyfiawn oll...

Rhoes Davies ei law yn arw dyner ar ei llaw hithau. Gallai fod wedi ymddangos i'r byd fel arwydd o gyfeillgarwch rhwng dau gydnabod da.

Ailymunodd Wil Twm â nhw.

'Poli fach. Fe weles i chi'n ishte fan hyn. Brynes i sieri i chi. 'Co chi,' a rhoddodd wydryn euraid o'i blaen. 'A sgotsyn bach i chi, Defis.'

'Diolch, Tomos.' Derbyniodd John y chwisgi yn ddiolchgar, yn siomedig bod Wil Twm wedi lladd ei sgwrs â Poli yn ei hegin. Dechreuodd Wil sgwrsio'n frwd, traethu ar ryw destun esgyrn sychion nad oedd gan y ddau arall lawer o ddiddordeb ynddo. Ddim yr eiliad honno. Gwyrodd John Davies ei ben ychydig i gyfeiriad y sawl a eisteddai wrth ei ochr, a gweld bod Poli hithau wedi gwneud yr un peth. Gwenodd y ddau ar ei gilydd. Rhyw wên heb wenu oedd hi, â phob dim yn eu llygaid.

Cododd ei wydryn o flaen ei drwyn i yfed ohono, a dyna ble roedd hi eto; Lydia, yn adlewyrchu yn ei ddiod.

Am y tro cyntaf y diwrnod hwnnw, teimlodd Davies ysfa o banig wrth weld Lydia'n ymgorffori o'i flaen. A dechreuodd ei hofni. Dychwelodd y cymylau duon i lenwi ei ymennydd. Y niwloedd dryslyd, diawledig. Tarthoedd Waungranod. A dyma Lydia'n ddynes hŷn y tro hwn, ei gwallt o'r un ansawdd a lliw â chynffon hen gaseg a'i chroen fel hen afal. Edrychai ei llygaid llwydwyn drwyddo o hyd, a hithau yn awr yn gwgu arno. Fe'u teimlodd yn ei drywanu. Gwyddai pe byddai'n troi ei olygon oddi arni y byddai'n diflannu eto, a dyna a wnaeth, gan godi ei sylw oddi ar ei ddiod i dremio ar y bobl yn yr ystafell...

Ai'r New King George oedd y lle hwn? Gwelodd o'i flaen dyrfa o ddieithriaid. Diwyneb. Nid adnabu'r un ohonynt. Afonydd o wlith yn diferu i lawr y ffenestri. Tân glo'n ffyrnigo, yn llethu. Pwy oedd y rhain a oedd yn rhannu ei gwmni? Edrychodd yn wag ar wyneb Poli; ymdrechai rhyw enw i feddiannu ei dafod, ond heb iws. Pwy oedd hi? Teimlai John yn lled sicr ei fod yn ei hadnabod. O rywle...

Yr unig un y gallai fod yn sicr ohoni oedd Lydia, ac roedd honno yno o hyd. Yn ei wylied. Ac roedd mor agos yn awr fel y teimlai John ei bod hi wedi dechrau mynd yn un ag ef, wedi dechrau ymdoddi iddo. Medrai John deimlo'i hoerni'n asio â'i gorff yntau. Gwelai law esgyrnog Lydia'n hofran uwch ei law yntau, ac yna'n ymdoddi iddi, y ddwy law'n asio. Meddyliodd ei fod wedyn yn gweld y byd trwy lygaid dieithr... A theimlai'n rhynllyd, oer...

'Ody pob dim yn iawn, Davies?' holodd Wil Twm. Fe'u synnwyd, yntau a Poli, gan y cysgod a ddaeth dros eu cyfaill, y newid yn ei bryd a'i wedd ddi-hwyl. Fel diffyg ar yr haul. Yr oedd i'w weld yn crynu dan chwys, gyda diferion gloyw'n ymddangos o dan gantel ei het.

'Faint ŷch chi 'di yfed heno, ddyn?'

'Gadewch lonydd iddo fe, Wil Twm,' taerodd Poli.

Rhoddodd ei braich o gwmpas ysgwydd y synfyfyriwr. 'Dewch mlân, John. Ewn ni â chi ma's am damed o awyr iach. Wil, fyddech chi cystal ag ôl diferyn o ddŵr i John?'

Aeth Wil Twm heb oedi ar ei neges, wrth i'r fyddin sisiol o gwmpas y bar esgus peidio â sylwi ar yr hyn oedd yn digwydd.

Unwaith iddynt gyrraedd platfform yr orsaf, trawyd y ddau gan wayw yr aer oer, ac roedd hynny'n ddigon i adfer rhyw fymryn ar gyneddfau Davies. Sadiodd ei hun ag un llaw yn erbyn wal garreg y *refreshment room*. Tynnodd Poli ei siôl yn dynn.

'John bach. Be dda'th drostoch chi gynne, gwedwch?'

Nid oedd y naill blatfform na'r llall yn llawn, gan fod pob enaid call a ddymunai deithio i Landeilo neu Landysul y noson honno eisoes yn canu grwndi wrth dân yr ystafell luniaeth. Syllodd Davies yn ddiwyro ar hyd y llwybr haearn. Rhannodd yn ddistaw,

'Wy'n ei gweld hi o hyd, Poli. Cha i ddim llonydd 'da hi.'

'Pwy, John?... Pwy ŷch chi'n ei gweld?'

'Lidi.'

Ni allai Poli wneud dim ond syllu arno, ei haeliau'n fwa tosturiol. Rhoddodd ei llaw ar ei fraich. Fe ofnai hi ers amser gyrhaeddiad yr eiliad hon, er iddi ei gweld yn dod o bell; teimlodd fod eu perthynas wedi croesi'r rhiniog i barth dieithr iawn yn awr.

Safai John Davies yno'n ddisymud, yn ceisio ymresymu; rhoddai'r argraff ei fod yn ceisio ffocysu ar rywbeth ar orwel hirbell. Eiliadau o graffu dwys, ac yna seibiannau llygatfawr, ond cadwai ei olygon ar y rheiliau a arweiniai i'r dwyrain o'r orsaf. Roedd angen mynd adref arno.

'Ble ma Wil Twm â'r dŵr 'na?' holodd Poli, gan geisio craffu drwy ffenestr darthog y *refreshment room*. 'Arhoswch fan hyn am funed, John.'

Prysurodd Poli yn ôl i mewn i'r bar, gan adael Davies yn enaid coll ar y platfform; dychwelai hi ymhen ychydig funudau, â gwydraid o ddŵr claear yn ei llaw, i ddarganfod ei fod wedi mynd.

Rhaid mynd adref.

Gwyddai'n iawn fod y trên yn pasio trwy glos Waungranod. Heibio i stepen ei ddrws; stopiai'n aml yn y tŷ.

Yn y tŷ.

Gwyddai y byddai'r trên yn ei ollwng yn y gegin, o flaen y tanllwyth fyddai'n llosgi'n braf ar yr aelwyd, a dyna ble y câi yntau a'r holl deithwyr rannu'r te a'r bara caws. Celent oll wedyn, wedi iddi wawrio, ei helpu i odro'r fuches o bymtheg. A'u bwydo... Rhaid oedd eu bwydo... Gwair ym mhob rhastal... Gwair ym *mhob* rhastal... Ac yno y byddai Lidi, a'i dwylo blinedig a'i ffedog, i'w croesawu, â photel o seidr i'w rhannu rhyngddynt; byddai yno i'w danfon â'u pladuron i ladd gwair yn y Weirglodd, a'r Waun Isaf, a'r Waun Uchaf, a'r Cae Dan Tŷ... A'r Waun Isaf...

...A'r Weirglodd...

...Ac onid oedd y lloi wedi darnu'r berth?...

...yng Nghae'r... Cae'r *Odyn?*...

Byddai'n rhaid i Ifan bach a Lydia ac yntau... ladd y gwair, a Margaret y King's,...dôi hithau draw i'w helpu...

...Pe byddai'n hyrddio'i fawd i'r nos.

Pe byddai'n...

Pe byddai'n... Byddai Harries Penllwynau'n ei godi ymhen y dim... A'r plant yn eu cymeradwyo ar hyd y ffordd... fel dau frenin... y rhai yn yr orsaf, oriau yn ôl, oll yn yfed a gweiddi... yn diferu i lawr y ffenestri.....Roedd angen dweud wrthynt am feindio'u busnes... Byddai...Beth oedd enw'r dyn?...

Damo'r enwau 'ma... Damo nhw i gyd...

Charles?

Ie. Charles yr *ostler*...

...bydde fe'n yn eu rhoi nhw i fynd, dan ganu...

...a...

Llonyddwch eto. Tawelwch meddwl, tawelwch nos. Eglurdeb.

'Rwyf wedi blino, Lidi. Wedi ymlâdd,' cyffesodd John Davies yn dawel.

'Ewch i gysgu, 'te, John Davies bach. Cysgwch chi nawr,' atebodd Lydia.

Ufuddhau wnaeth John Davies. Ar ei eistedd, syrthiodd i drwmgwsg ar y cledrau, â sŵn y trên yn suo.

PIZZA

Safodd Ieuan o flaen drws Chez Julien, a chraffodd ar y fwydlen a oedd wedi ei sodro, mewn fframyn trwm, i'r wal galchfaen felog gerllaw. Sganiodd yr arlwy, a phob saig yn ei gyhoeddi ei hun iddo'n *laissez faire* mewn ffont o'r enw 'Café Urbain'. Roedd gan y llythrennau olwg dwristaidd o Ffrengig, ac ni theimlodd Ieuan eu bod yn taro deuddeg yn eu cyd-destun. Byddent wedi gwneud y tro ar fwydlen mewn *café* ym Mharis, efallai, fel rhan o'r byd *sans-serif*, modern yno, ond nid fan hyn. Nid mewn *village perché* yn y de, cysglyd a cheidwadol a pherffaith.

'*Pizza Fruit de Mer!*' cyhoeddodd Ieuan wedyn, gan dorri ar ei lesmair, mewn llais a oedd mor argyhoeddedig, fel yr ymylai ar fod yn floedd. 'Ma hwnna'n swno'n neis, ond yw e? Be chi'n weud, *ma chérie, mes enfants?*'

Ynganai Ieuan eiriau'r Ffrangeg yn bert wastad, ac ymfalchïai yn ei ddiddordeb yn yr iaith. Teimlai angerdd arbennig at Ffrainc. Fe'i cynhyrfid gan Ffrainc erioed, y *syniad* o Ffrainc. Nid oedd ganddo unrhyw berthnasau nac achau Ffrengig y gwyddai amdanynt o gwbl, ond dyna ni. Roedd yn *Francophile* balch. Roedd Ieuan yn un o'r bobl hynny, pe byddai'n sylwi ar gosyn dinod o Boursin mewn ffrij yn yr archfarchnad, neu reffyn o arlleg, a glywai aroglau'r caeau lafant ger Ménerbes yn ei ffroenau'n syth, a lluniai â llygad ei feddwl y fforestydd o flodau haul yn troi eu pennau fel teganau clocwaith.

Tynnodd e'r siwmper ysgafn yr oedd wedi ei chlymu am ei ysgwyddau yn dynnach ato, wedi iddi lithro ychydig dros ei grys, crys â phatrwm o sgwariau pinc a melyn arno. Ailglymodd gwlwm yn y breichiau edwinol dros ei frest. Edrychai fel cacen Battenberg.

'O'r diwedd, Ieuan,' meddai Lynwen. 'Ni 'di bod rownd y pentre 'ma dair gwaith yn whilo am rywle i ga'l bwyd. Pam na sylwest ti ar y blydi Pizza 'na awr yn ôl, 'te?'

'Ha! Wedodd Mam "blydi"!' bloeddiai eu mab.

Roedd y wraig yn llygad ei lle. Roeddent, y pedwar ohonynt, Ieuan, Lynwen a'r plant, Guto a Iona, wedi mordwyo pentref Bonnieux dair gwaith y noson glos honno'n chwilio am rywle i gael pryd o fwyd; Ieuan yn eu harwain yn ei hwyl wyntyllog orau, a'r tri arall yn ei ddilyn mor bell y tu ôl iddo ag y medrent, heb beri i'r byd – ac yntau – gael yr argraff nad oeddent yn rhan o'r un gwmnïaeth. Nid bod hynny'n debygol o ddigwydd. Doedd fawr o neb ar hyd strydoedd cynnes y cyfnos hwnnw a allai fod wedi'u gweld. Fawr o neb i glywed Ieuan yn traethu am y nifer anarferol o *villages perchés* a oedd i'w canfod, fel eryrod yn cysgu ar sgimbrennau mynyddig, yn *départment* y Vaucluse. Neb i'w glywed yn eu hysbysu mai dim ond saith deg a saith o ddiwrnodau o law fyddai'r ardal yn ei gael mewn blwyddyn. Neb i'w glywed yn annerch ei deulu amyneddgar am y dieflig Marquis de Sade a drigai unwaith yn y *chateau* ar frig pentref ffroenuchel Lacoste, brin filltir i ffwrdd.

Ffroenuchel? Onid oedd pob un o bentrefi'r ardal hon yn ffroenuchel? Teimlai Lynwen erioed ei bod yn camu i fyd dieithr a gwaharddus bob tro yr aent i Dde Ffrainc, ac ni allai fynd i'r ardal heb deimlo ychydig yn euog ei bod yno. Roedd yno ryw sarugrwydd ym mhridd sychedig y gwinllannoedd, a rhyw naws annidwyll iawn i wladeiddiwch cymelledig yr adeiladau. Ni châi Lynwen ei thwyllo gan rith ddiymdrech Provence. A doedd dim a oedd yn *laissez faire* am y ffordd yr oedd yn rhaid iddynt gynilo, fel gwiwerod, sbarion prin eu cyflogau er mwyn treulio wythnos yn unig o bob dwy flynedd yn eu paradwys, felen o galchfeinog, dwym.

Gwrthodai Ieuan weld hyn oll. I Ieuan, roedd ardal y Vaucluse yn cynnig cipolwg ar fywyd gwledig yr *artisan Francais*, y gwerinwr Occitan. Yn adlais gonest a byw. Gwelai Ieuan Jean de Florette yn cludo dŵr ar ei gefn crwca bob man yr edrychai.

Nid oedd unrhyw ddiben i Lynwen ddenu sylw ei gŵr at y siopau *boutique* a frithiai'r strydoedd bychain, siopau a oedd yn gwerthu dillad hyll o ddrud; siopau a werthai ddillad du yn unig. Ni sylwai Ieuan ar y Ferraris a'r Lamborghinis, yn brolio ar fathodynnau hirgrwn bod eu cartrtefi yn yr Almaen neu Wlad Belg, wedi eu parcio ar gyrion y pentref, oll o liw glo fel y dillad yn y siopau. Fe'u *gwelai*, ond gwnâi bwynt o *beidio* â sylwi arnynt. Ni chlywai Ieuan ei wraig chwaith, pan ddywedai wrtho o hyd fod y *baguettes* yn y *boulangerie* aml-wobrwyedig yn costio deirgwaith cymaint â'r rhai a werthid yn y *boulangerie* yn siop Super U a oedd lawer agosach at y *gîte* lle'r arhosent. Na, mynnai Ieuan yrru i'r un ddisgleirwych yn Bonnieux bob bore i gaffael ei gyflenwad o fara am grocbris, ac yn aml, ar ôl eu cludo yn ôl i'r *gîte* byddai'n eu codi o dan ei drwyn gan anadlu eu gwynt yn ddwfn. Ac yna, wedi iddo anadlu sawr y Ffrainc go iawn, fe fyddai'n ochneidio'n fodlon, ac yn ynganu'n berffaith un o'i hoff ystrydebau:

'Aaaa! J'aime beaucoup La France!'

'A ma Ffrainc yn dy garu di 'fyd, yn enwedig y siop fara 'na,' byddai Lynwen yn ei ateb yn aml, mewn ychydig mwy na sibrydiad.

Erbyn diwedd y dydd, fe âi hanner y *baguettes* a brynwyd ganddo yn y bore i'r bin, yn stêl a heb eu cyffwrdd.

Fel hyn y byddai hi wastad pan âi'r teulu i Ffrainc, a gwynt diwylliant yn hyrddio hwyliau Ieuan, fel y cynffonwynt y tu ôl i'r awyren Easy Jet a'u cludai i faes awyr Marignane.

Aent i'r de yn ddi-ffael.

Aethant i'r Auvergne un tro, ryw bum mlynedd yn ôl, a chael yr ardal yn ddigon dymunol, ond roedd yn well gan Ieuan Provence neu Languedoc. Y de 'gwaelod'. Y de iawn. A'r unig dro iddynt fentro ar eu gwyliau i'r Dordogne, gwyddai Lynwen cyn iddynt adael Y Rhws na fyddai hon yn daith i'w mwynhau. A hynny oherwydd, toc cyn iddynt gamu ar fwrdd y plên, i Ieuan glywed sgwrs rhwng dau ddieithryn gerllaw iddo, pan soniai un ohonynt mai fel 'Dordogne-*shire*' yr arddelir yr ardal bellach, gan fod cymaint o Saeson *ex-pat* wedi ymgartrefu yno. Ni helpwyd yr achos ryw lawer pan sylwodd Ieuan y tro hwnnw, ar y rac o bapurau newydd ger chwyrligwgan cludo cesys maes awyr Bergerac, ac arno chwe phapur yn y Saesneg. Un ohonynt oedd *Dordogne Life – The Paper for the British Community in Central France.* Lladdwyd y gwyliau hynny yn y crud. Treuliodd Ieuan yr wythnos gyfan wedyn yn gwneud pwynt o sylwi ar y Saeson y deuai e ar eu traws yno, a'u diawlio. Nid bod gan Ieuan unrhyw beth yn *eu herbyn*, fel y cyfryw, ond roedd Ffrengigrwydd y lle wedi ei lastwreiddio o'u herwydd. Dyna oedd barn Ieuan, ac ni welai unrhyw eironi yn hynny o beth.

Ond heno, roeddent yn ôl yn Provence.

'Dad! Wy'n blydi starfo!' Roedd greddf oroesi Guto wedi ei oddiweddyd.

'Watsia dy iaith,' meddai ei dad yn ôl wrtho, 'ne gei di ddim byd o gwbl i fyta, gwboi.'

'Dad! Wy'n blydi... llwgu!' daeth yr ateb. 'Ocê?'

Siglodd Ieuan ei ben, gan daflu edrychiad tawel a chyhuddgar tuag at ei wraig, fel petai hyfdra eu mab yn fai arni *hi*.

'Dere, Ieu,' meddai Lynwen wrth ei gŵr, â thinc cyfarwydd yn ei llais. 'Ni 'di bod yn wilibowan ers orie nawr. Ma'r ddou 'ma bytu fod yn barod i fynd i'r gwely.'

'Ie. Ti'n iawn. Dewch mlân, 'te, bois bach!' meddai Ieuan, gan wneud rhyw ystumiau bach bywiog â'i freichiau a'i gorff uchaf, rhyw ddawns ddwl fel modd o ailwefrio brwdfrydedd ei deulu. Credai Iona ei fod yn edrych fel epa hirfraich yn ceisio dianc o gymysgydd sment. Rhoddodd

Ieuan daw ar ei ystumiau pan welodd cyn lleied o effaith yr oeddent yn ei gael ar ei lwyth.

'Mewn â ni, 'te!'

Camodd Ieuan unwaith eto tuag at ddrws Chez Julien, ac yna, rhewodd yn sydyn, fel petai wedi cerdded i mewn i wal wydr. Cwympodd ei wyneb, a chrymodd ei ysgwyddau. Ni allai roi un droed o flaen y llall. Sylwodd Lynwen ar barlys ei gŵr.

'Be sy'n bod?'

'Oo, Dad! Cym ooon!' cwynodd Iona.

Trodd Ieuan, gan welwi, i wynebu ei wraig. Plygodd ei ben ychydig er mwyn iddo gael gofyn yn ddistaw yn ei chlust,

'Beth yw pizza?... Gwrw ne fenw?'

Edrychodd Lynwen yn hurt arno.

'Be ti'n feddwl, "gwrw ne fenw"?'

'"Le" neu "la"? "Le" pizza neu "la" pizza?'

'Beth? Ym, sai'n siŵr, y... Beth yw'r *ots*, ta p'un 'nny?'

'Wel... Allwn ni ddim mynd mewn fan'na ac ordro pizzas i'n hunen heb wbod os taw "Le" neu "La" y'n ni fod i weud, allwn ni?'

Am eiliadau hir, tawelwch a fu, a hynny oherwydd i fudandod daro'r wraig. Ni allai Lynwen *cweit* gredu'r hyn yr oedd yn ei glywed. Edrychodd ar ei gŵr, ychydig yn gegagored, a'r rhychau ar ei thalcen yn dynn dan wasgfa ei dryswch.

'Ieuan. *Ti* sy'n gweud bo ti'n gallu siarad Ffrangeg... Sdim ots. Byddan nhw'n deall ni ta beth!'

Ond roedd Ieuan wedi encilio i'w ben yn barod. Eisteddodd i lawr ar un o gadeiriau'r bwyty, o dan barasól yn hysbysebu Orangina.

'O, Dad, 'ychan! Pam y'n ni'n stopo 'to? Pam nag y'n ni'n mynd *mewn*?' Roedd Guto wedi hen ddiflasu.

'O, cym on, Ieuan! Er mwyn y mowredd! Symon *nhw'n* mynd i fecso, odyn nhw? 'Na i gyd ma'n *nhw* isie yw'n harian ni.' Roedd Lynwen bron â phledio yn awr.

Eisteddai Ieuan yn ddistaw yn y gadair fach alwminiwm arian, yn ailadrodd, fel mantra anghlywadwy, 'Le pizza, la pizza. Le pizza, la pizza...'

Ni allai ddeall y peth. Pam na allai gofio cenedl yr enw 'pizza'? Oni wyddai o gwbl? Nid oedd yn siŵr rhagor.

Le pizza...

La pizza...

Beth *fyddai* pizza?

Gwyddai mai gwryw oedd *gateau*, ond nid oedd y pizza'n unrhyw fath o gacen, o *gateau*, nag oedd? '*Le*' oedd bara hefyd. Ond, er taw bara ydoedd yn ei hanfod, a oedd unrhyw beth, rhyw nodwedd o bwys, am y pizza a'i gwnâi'n '*la*'?

Merde.

Tynnodd Ieuan ei ffôn o'i boced, a chraffu arni, cyn tuchan,

'O's signal 'da'r un ohonoch chi?'

Cododd Lynwen ei ffôn a'i chwifio'n araf yn yr awyr.

'Nago's, Ieuan.'

'Blant? O's...?'

'Ieuan,' torrodd Lynwen ar ei draws. 'Ma'r ddou 'ma wedi

bod yn mynd off 'u penne drw'r nos achos *bod* dim signal 'da nhw ar 'u ffôn.'

'O, ie. Reit,' meddai. 'O'n i jyst isie tsieco ar-lein... Ti ddim 'di dod â'r geiriadur Collins bach 'na, wyt ti, ti'mbod, yr un...'

'Naddo, Ieuan. Blydi hel!'

Roedd tanc amynedd Lynwen yn wag heblaw am y nwyon yn awr.

'Na, olreit... Ocê... Jysd... Wel, beth y'n ni'n mynd i neud nawr?'

Cododd Lynwen ei braich gan anelu procer o fys i gyfeiriad mynedfa'r bwyty. Meddai wrtho'n bwyllog,

'Ni'n mynd i fynd miwn fan'na...

...Ni'n mynd i ishte lawr...

...Ni'n mynd i ordro bwyd...

...Sdim problem.'

Dyw e ddim yn broblem i *ti*, meddyliodd Ieuan. Smo ti'n becso ambyty pethe fel hyn. Smo ti'n deall.

Syrthiodd gorchudd o ddistawrwydd drostynt. Sylwodd Guto ar y synau a ddeuai o berfeddion y bar, synau gwydrau a chyllyll a ffyrc a phlatiau'n clinc-clancio yn erbyn ei gilydd. Ni allai beidio â sylwi ar yr aroglau amheuthun o arlleg a tharagon yn llenwi amgylchfyd y byrddau *café*. Teimlodd bang yn ei stumog.

Dechreuodd Iona gnoi ei hewinedd gydag archwaeth.

Roedd Ieuan mewn penbleth. Edrychodd ar ei deulu'n digalonni o flaen ei lygaid, ond ni *allai* fentro i mewn i'r *restaurant*; yr eiliad honno, teimlai hynny fel mentro i ffau'r llewod. Taflodd edrychiad dros ei ysgwydd i weld a oedd yna'r un cliw yng ngeiriad y fwydlen a allai liniaru ar ei gyfyng gyngor. Dim gair. Nid oedd sôn yno am 'la' neu 'le', 'une' neu 'un', 'du' neu 'de la'. Dechreuodd Ieuan feddwl y dylai redeg y chwarter milltir i'r maes parcio yng ngodre'r pentre, rhag ofn bod fan fach y *pizzeria* symudol yno, ac y câi oleuni o'r diwedd. Edrychodd eto ar wyneb ei wraig, a phenderfynodd na fyddai hynny'n syniad da.

Roedd hyn yn fater o egwyddor. Bob tro iddo fynd gyda'r teulu i Ffrainc yn y blynyddoedd diweddar, fe fyddai Ieuan yn ceisio ei orau i gyfathrebu â'r brodorion yn eu hiaith eu hunain. *Wrth gwrs* y gwnâi hynny. Doedd dim cwestiwn am y peth. Yn nyddiau cynnar gwyliau Ffrengig y teulu, ryw ddeng mlynedd ynghynt, cyn i'r plant fod yn bump oed, digon bratiog oedd ei ymdrechion i siarad yr iaith, ond fe ddaeth, gan bwyll, dros y blynyddoedd wedyn i ystyried ei hun yn siaradwr lled rugl, er y gwyddai yn ei galon nad oedd hynny'n gwbl wir chwaith. Ac roedd gwybod hynny yn ei gnoi. Fe âi Ieuan yn ôl i Gymru wedi pob gwyliau'n addo iddo'i hun y byddai'n dysgu Ffrangeg yn iawn 'erbyn y tro nesa', ac na fyddai'n achosi fyth eto i'r un Ffrancwr amau nad oedd yn un ohonyn nhw. Ond rywsut, ymhen ychydig iawn o wythnosau ar ôl cyrraedd yn ôl i Gymru, fe'i llethid gan fywyd eto, a'r holl ddifaterwch dioglyd a olygai hynny. Yr holl *ennui*. Bob hyn a hyn, ceisiai ddilyn cyfres o wersi gan rywun o'r enw Jacqueline ar YouTube, ond y rhan fwyaf o'r amser, aros yn gaeth ac anwybyddedig yn ei chell ddigidol a wnâi Jacqueline, hyhi a'i gwersi.

Roedd Ieuan yn falch o'r Ffrangeg a fedrai. Ymdrechai bob tro. Roedd yn Gymro wedi'r cwbl, ac oni werthfawrogai ymdrechion eraill, rhai nad oeddent o reidrwydd yn Gymry, i siarad Cymraeg ag e, er mor brin oedd y bobl hynny? Mater o egwyddor oedd hyn, ie, a pharch. Roedd yn *ddyletswydd* arno i siarad Ffrangeg â'r Ffrancwyr, ac i wneud hynny'n iawn.

Credai Lynwen unwaith mai balchder styfnig oedd yn achosi i'w gŵr fod mor bedantig, mor rhwystredig o benstiff. Roedd ymddwyn felly yn ei anian. Gwelodd Lynwen yr elfen hon ynddo yn gynnar iawn yn eu carwriaeth, ac fe ystyriai am gyfnod obsesiwn Ieuan â chywirdeb yn nodwedd annwyl ac idiosyncratig yn ei gyfansoddiad. Ond, dros y blynyddoedd, fe bylodd y swyn, ac fe ddatblygodd gorfanylder mursennaidd Ieuan yn rhywfaint o fwrn tawel arni. Nid i'r graddau ei fod yn ei chosi, fel gwres pigog, neu'n ei chythruddo o gwbl, ond roedd yna adegau, fel hyn, pan fyddai ei hamynedd dan brawf garw. A gwawriodd rhywbeth arni'n dawel; mai rhyw ymddygiad oedd hwn a oedd y tu hwnt i reolaeth ei gŵr, bwgan bach nad oedd modd iddo ymresymu ag ef, nac ychwaith ei gwrso o atig ei ben. Ni feddyliodd hi erioed, er hynny, fod angen i Ieuan gydnabod ei chwiwiau ei hun mewn unrhyw gyswllt 'ffurfiol', ceisio barn broffesiynol, hynny yw. Cwerc oedd yr ymddygiad rhyfedd, a dyna i gyd onid e? Ond yn awr, wrth ei wylio yn ei gyfyng gyngor rhyfedd nid oedd mor sicr.

Dechreuodd gofio rhai o'r pethau bach, pethau arwyddocaol o bosib, a wnaed gan ei gŵr yn ystod yr wythnos a aeth heibio. Y cyfrif newid mân a wnâi yn y Ffrangeg mewn llais ychydig yn rhy uchel ym mhob siop. Y pontifficeiddio byth a hefyd ar ryw ffeithiau neu ystadegau, fel rhyw Scout Leader felltith. Ni allai ef chwaith segura ger y pwll gyda'r gweddill ohonynt. Roedd yn rhaid iddo neidio fel bom i'r dŵr bob pum munud, neu gicio pêl yn erbyn wal y *gîte*, neu gerdded o gwmpas y cloestr a gwmpasai'r pwll gyda ffonau clust am ei ben, yn canu ar dop ei lais; hyn oll tra eisteddai ei blant a'i wraig yn ddigyffro ar eu *sun loungers*, fel madfallod ar wal. Bob tro iddynt fynd i *café* am ginio ysgafn neu am ddiod i liniaru rywfaint ar y tanbeidrwydd heulog, ni allai Ieuan eistedd yn llonydd wrth y bwrdd, oherwydd byddai'n rhwygo matiau diod a'u hailffurfio'n anifeiliaid cardfwrdd amrwd, neu ffurfio'i geg yn dwll tin a chwythu dros wddf potel o lagyr er mwyn ennyn nodyn.

'Glywoch chi hwnna?' meddai e un tro, y tu allan i gaffi cornel yn Ménerbes. 'Sŵn un o famothiaid Lascaux!'

Trawyd Lynwen gan y sylweddoliad bod Ieuan heb ymlacio o gwbl yn ystod y gwyliau; yn ystod unrhyw *un* o'r gwyliau a dreulid ganddynt yn y deng mlynedd diwethaf, petai'n dod i hynny. Pe byddai'n onest â hi ei hun, roedd hynny mor amlwg â hoel ar bostyn iddi nawr. Roedd yn briod â Jac y rhaca. Gwifren drydan o ddyn. Gwifren a gormod o gerrynt yn cwrsio drwyddi, yn hercio a neidio dan orlwyth o egni, a'r egni hwnnw ddim o reidrwydd yn egni llesol chwaith. Heno, o'i weld mewn cymaint o benbleth, wrth iddo eistedd yno'n rhwygo cwpan papur ac yn ailadrodd banodau Ffrangeg drosodd a throsodd, teimlodd Lynwen rywfaint o drueni drosto. Am y tro cyntaf erioed, teimlai drueni dros ei gŵr.

'Ieuan,' meddai wrtho'n dawel. 'Allwn ni ffindo rhywbeth i fyta 'nôl yn y *gîte*. Ma'r ffrij yn llawn. Sdim *rhaid* i ni fyta ma's.'

Sylwodd Ieuan ar wynebau siomedig ei blant. Erbyn hyn, roedd eu mân gwyno wedi tewi gyda'r sylweddoliad bod eu tad wedi mynd i'r 'parth rhyfedd' hwnnw eto. Roeddent wedi arfer â sefyllfaoedd fel hyn, pan fyddai ymddygiad eu tad yn dryllio eu hwyl, yn union fel pin mewn balŵn, a gwyddai'r ddau na fyddai'r un diben i brotestio bellach. Gwelodd Ieuan y ddau'n ildio'n flinedig i'w ffawd, a daeth gwayw o euogrwydd i'w drywanu.

Na, meddyliodd. Ry'n ni yma er mwyn rhannu pryd hamddenol mewn *restaurant*, a dyna mae'n rhaid ei gael!

'Reit. Cym on, 'te! Mewn â ni!' gwaeddodd, wrth neidio ar ei draed, fel tegan â batri ffres yn ei geubal. Wrth wylio'r plant, wedi eu hadfywiad parod, yn sgrialu trwy ddrws Chez Julien, ychwanegodd yn dawel wrth Lynwen, 'Alli *di* ordro'r bwyd droston ni? Plis?'

'Wrth gwrs 'nny. Dere,' meddai hi.